Narrativa del Acantilado, 299
MAIGRET EN
EL PICRATT'S

GEORGES SIMENON

MAIGRET EN EL PICRATT'S

TRADUCCIÓN DEL FRANCÉS
DE CARIDAD MARTÍNEZ

BARCELONA 2017  ACANTILADO

TÍTULO ORIGINAL *Maigret au Picratt's*

Publicado por
ACANTILADO
Quaderns Crema, S. A.

Muntaner, 462 - 08006 Barcelona
Tel. 934 144 906 - Fax. 934 636 956
correo@acantilado.es
www.acantilado.es

En la cubierta, la VI Flota en el Grill Room, Barcelona (1953)

ISBN: 978-84-16748-71-6
DEPÓSITO LEGAL: B. 24 077-2017

AIGUADEVIDRE *Gráfica*
QUADERNS CREMA *Composición*
ROMANYÀ-VALLS *Impresión y encuadernación*

PRIMERA EDICIÓN *noviembre de 2017*

Para el agente Jussiaume, a quien su ronda nocturna llevaba a diario, minuto más o menos, a pasar por los mismos sitios, las idas y venidas como aquélla se integraban de tal modo en la rutina que las registraba maquinalmente, un poco como los vecinos de una gran estación registran las llegadas y salidas de los trenes.

Caía aguanieve y Jussiaume se había refugiado un momento en un portal, en la esquina de la rue Fontaine con la de Pigalle. El rótulo rojo del Picratt's era uno de los poquísimos del barrio que seguía encendido y ponía una especie de charcos de sangre en el pavimento mojado.

Era lunes, un día muerto en Montmartre. Jussiaume habría sido capaz de decir en qué orden se habían ido cerrando la mayor parte de las boîtes. Vio el rótulo de neón del Picratt's apagarse a su vez, y el dueño, bajo y corpulento, con una gabardina beige sobre el smoking, salió a la acera para hacer girar la manivela del cierre.

Una silueta, que parecía la de un niño, se deslizó pegada a la pared y bajó por la rue Pigalle en dirección a la rue Blanche. Después dos hombres, uno de los cuales llevaba un estuche de saxofón bajo el brazo, subieron hacia la place Clichy.

Casi inmediatamente, otro hombre se dirigió hacia el cruce de Saint-Georges, con el cuello del abrigo levantado.

El agente Jussiaume no conocía sus nombres, y los rostros apenas, pero aquellas siluetas, y centenares más, tenían, para él, un sentido.

Sabía que una mujer estaba a punto de salir, con un abrigo de pieles claro, muy corto, empinada sobre unos tacones exageradamente altos, y que echaría a andar muy deprisa, como si le diera miedo verse sola en la calle a las cuatro de la madrugada. Sólo había de recorrer cien metros hasta la casa donde vivía. Tendría que llamar porque, a aquellas horas, el portal estaba cerrado.

Y finalmente, las dos últimas mujeres, siempre juntas, que caminaban hablando a media voz hasta la esquina y se separaban pocos pasos después. Una de ellas, la mayor y más alta, remontaba contoneándose la rue Pigalle hasta la de Lepic, donde la había visto a veces entrar en su casa. La otra dudaba, le miraba como si quisiera dirigirse a él, y luego, en vez de bajar por la rue de Notre-Dame-de-Lorette, enfilaba hacia el bar-tabac de la esquina de la rue de Douai, donde aún se veía luz.

Parecía haber bebido. Llevaba la cabeza al descubierto. Se veía relucir su dorada cabellera al pasar bajo un farol. Avanzaba despacio, deteniéndose a veces, como hablando consigo misma.

El dueño del bar le preguntó con familiaridad:

—¿Café, Arlette?

—Carajillo.

E inmediatamente pudo percibirse el tan característico aroma del ron al calentarse en el café. Dos o tres hombres bebían en la barra, pero no los miró.

El dueño declaró más tarde:

—Parecía muy cansada.

Quizá por eso se tomó otro carajillo de ron, esta vez doble, y le costó sacar las monedas del bolso.

—Buenas noches.

—Buenas noches.

El agente Jussiaume la vio volver a pasar, y, cuando bajaba por la calle, sus andares eran menos firmes aún que al subirla. Cuando llegó a su altura, ella le vio, en la oscuridad, se detuvo frente a él y dijo:

—Quiero hacer una declaración en comisaría.

—Es fácil. Ya sabe dónde está—le contestó Jussiaume.

Era casi enfrente, en cierto modo detrás del Picratt's, en la rue La Rochefoucauld. Desde donde estaban, ambos podían ver el farol azul y las bicicletas para patrullar de los agentes alineadas contra la pared.

Al principio creyó que no iría, pero luego la vio cruzar la calle y entrar en el edificio oficial.

Eran las cuatro y media cuando entró en el despacho mal iluminado en el que no había más que el brigada Simon y un joven agente no titular. Y repitió:

—Quiero hacer una declaración.

—Dime, tesoro—contestó Simon, que llevaba veinte años en el distrito y ya estaba acostumbrado.

Iba muy pintada y se le había corrido un poco el maquillaje. Llevaba un vestido de raso negro y encima un abrigo de imitación de visón, se tambaleaba levemente y se agarraba a la barandilla que separa a los agentes de la parte reservada al público.

—Se trata de un crimen.

—¿Se ha cometido un crimen?

Había un gran reloj eléctrico en la pared y ella lo miró, como si la posición de las agujas tuviera algún sentido.

—No sé si se ha cometido.

—Entonces no hay tal crimen.

El brigada le había guiñado el ojo a su joven colega.

—Probablemente va a cometerse. Seguramente va a cometerse.

—¿Quién te lo ha dicho?

Parecía como si siguiera con dificultad sus pensamientos.

—Los dos hombres, hace poco.

—¿Qué hombres?

—Unos clientes. Trabajo en el Picratt's.

—Ya decía yo que te había visto en alguna parte. Tú eres la que se desnuda, ¿no?

El brigada no había asistido nunca a los espectáculos del Picratt's, pero pasaba por delante todas las mañanas y todas las noches, y veía, en la fachada, la ampliación de la foto de la mujer que ahora estaba ante él, así como las fotos más pequeñas de las otras dos.

—¿Y así por las buenas, unos clientes te han hablado de un crimen?

—A mí no.

—¿A quién?

—Hablaban entre ellos.

—¿Y tú escuchabas?

—Sí. No lo oía todo. Había una mampara por medio.

Otro detalle que el brigada Simon entendía. Cuando pasaba por delante de la boîte a la hora que hacían la limpieza, la puerta estaba abierta. Se veía una sala oscura, decorada toda en rojo, con una pista reluciente, y a todo lo largo de las paredes, las mesas separadas por mamparas.

—Cuéntame. ¿Cuándo ha sido?

—Esta noche. Hará unas dos horas. Sí, debían de ser las dos de la madrugada. Yo no había hecho mi número más que una vez.

—¿Qué decían esos dos clientes?

—El más viejo decía que iba a matar a la condesa.

—¿Qué condesa?

—No lo sé.

—¿Y cuándo?

—Probablemente hoy.

—¿No temía que le oyeras?

—Él no sabía que yo estaba al otro lado de la mampara.

8

—¿Estabas sola?

—No. Con otro cliente.

—¿Conocido tuyo?

—Sí.

—¿Quién es?

—Sólo sé el nombre de pila. Se llama Albert.

—¿Él también lo oyó?

—No creo.

—¿Por qué no?

—Porque me tenía las dos manos cogidas y me estaba hablando.

—¿De amor?

—Sí.

—¿Y tú, mientras, escuchabas lo que iban diciendo al otro lado? ¿Puedes recordar exactamente las palabras que se pronunciaron?

—Las palabras exactas, no.

—¿Estás borracha?

—He bebido bastante, pero aún sé lo que me digo.

—¿Bebes así todas las noches?

—No tanto.

—¿Fue con Albert con quien bebiste?

—Sólo tomamos una botella de champán. Yo no quería hacerle gastar.

—¿No es rico?

—Es muy joven.

—¿Está enamorado de ti?

—Sí. Quiere que deje la boîte.

—Así que tú estabas con él cuando llegaron los dos clientes y se sentaron del otro lado de la mampara.

—Así es.

—¿Y no los viste?

—Los vi luego, de espaldas, cuando se iban.

—¿Estuvieron mucho rato?

—Quizá una media hora.

—¿Bebieron champán con tus compañeras?

—No. Creo que pidieron brandy.

—¿Y empezaron enseguida a hablar de la condesa?

—Enseguida, no. Al principio no me fijé. Lo primero que oí fue una frase como: «¿Comprendes?, todavía tiene buena parte de sus joyas, pero al paso que va, eso no va a durar mucho».

—¿Qué tipo de voz tenía?

—Una voz de hombre. De hombre ya de cierta edad. Cuando salían vi que uno era bajo, fornido, con el pelo gris. Debía de ser ése.

—¿Por qué?

—Porque el otro era más joven y no era la voz de un hombre joven.

—¿Cómo iba vestido?

—No me fijé. Creo que iba de oscuro, quizá de negro.

—¿Habían dejado el abrigo en el guardarropa?

—Supongo que sí.

—Así pues, dijo que la condesa aún tenía parte de sus joyas, pero que al paso que iba, eso no duraría mucho.

—Así es.

—¿Cómo decía de matarla?

La verdad es que la chica era muy joven. Mucho más joven de lo que pretendía aparentar. En algún momento, parecía una niña amedrentada a punto de echar a correr. En esos instantes, se aferraba al reloj con la mirada, como buscando inspiración. Su cuerpo oscilaba imperceptiblemente. Debía de estar muy cansada. Hasta el brigada llegaban, mezclados con el olor del maquillaje, leves efluvios de sudor que emanaban de sus axilas.

—¿Cómo decía de matarla?—repitió.

—Ya no lo sé. Espere. No estaba sola. No podía escuchar todo el rato.

—¿Albert te estaba toqueteando?

—No. Me tenía cogidas las manos. El hombre mayor dijo algo así como: «He decidido liquidar el asunto esta noche».

—Eso no quiere decir que vaya a matarla. Podría dar a entender que le va a robar las joyas. Y nada prueba que no sea un acreedor dispuesto sencillamente a enviarle un requerimiento judicial.

—No—replicó ella con cierta obstinación.

—¿Cómo lo sabes?

—Porque no era eso.

—¿Hablaba claramente de matarla?

—Estoy segura de que eso es lo que quiere hacer. No recuerdo las palabras.

—¿No puede ser un malentendido?

—No.

—¿Y de eso hace dos horas?

—Un poco más.

—Y tú, sabiendo que un hombre iba a cometer un crimen, ¿hasta ahora no has venido a decírnoslo?

—Estaba asustada. Y no podía salir del Picratt's antes de que cerraran. Alfonsi es muy estricto en eso.

—¿Aunque le hubieras dicho la verdad?

—Seguro que me habría contestado que no me meta donde no me llaman.

—Trata de recordar todas las palabras que intercambiaron.

—No hablaban mucho. No lo oía todo. La música sonaba. Luego Tania hizo su número.

El brigadier ya había empezado a anotar, pero con cierta indiferencia, sin tomárselo muy en serio.

—¿Tú conoces a alguna condesa?

—No creo.

—¿Hay alguna que frecuente la boîte?

—No vienen muchas mujeres. Y nunca oí decir de ninguna clienta que fuera condesa.

—¿No te las compusiste para ir a mirar a los hombres de cara?

—No me atreví. Tenía miedo.

—¿Miedo de qué?

—De que supieran que lo había oído.

—¿Cómo se llamaban el uno al otro?

—No me fijé. Creo que uno de los dos se llama Oscar. No estoy segura. Me parece que he bebido mucho. Me duele la cabeza. Tengo ganas de ir a acostarme. De haber sabido que no me creería, no habría venido.

—Ve a sentarte.

—¿No puedo irme?

—Ahora no.

Le señaló un banco adosado a la pared, debajo de los anuncios oficiales en blanco y negro.

Luego, de pronto, volvió a dirigirse a ella:

—¿Tu nombre?

—Arlette.

—Tu verdadero nombre. ¿Llevas el carnet de identidad?

Lo sacó de su bolso y se lo alargó. Él leyó: «Jeanne-Marie-Marcelle Leleu, 24 años, natural de Moulins, artista coreográfica, rue Notre-Dame-de-Lorette, n.º 42, escalera B, París».

—¿No te llamas Arlette?

—Es mi nombre artístico.

—¿Has trabajado en el teatro?

—En teatros de verdad, no.

Él se encogió de hombros y le devolvió el carnet, cuyos datos había tomado ya.

—Ve a sentarte.

Luego, en voz baja, le pidió a su joven colega que la vigilara, pasó al despacho contiguo para telefonear sin que le oyeran, y llamó a la central de patrullas policiales.

—¿Eres tú, Louis? Soy Simon, distrito de La Rochefoucauld. ¿Por casualidad no han asesinado esta noche a una condesa?

—¿Cómo que a una condesa?

—No lo sé. Probablemente sea una broma. La chiquilla parece un poco tocada del ala. En cualquier caso, está borracha perdida. Al parecer ha oído a unos tipos que tramaban asesinar a una condesa, una condesa que, según ellos, tiene joyas.

—Ni idea. No veo nada en los avisos.

—Si pasara algo relacionado, tenme al corriente.

Siguieron hablando un rato de sus cosas. Cuando Simon volvió a las dependencias generales, Arlette se había quedado dormida, como en la sala de espera de una estación. La postura era tan exacta que un espectador, sorprendido, buscaría maquinalmente con la vista una maleta a sus pies.

A las siete, cuando Jacquart vino a relevar al brigadier Simon, ella seguía durmiendo, y Simon puso a su colega al corriente; ya se iba, cuando la vio despertarse, pero prefirió no entretenerse.

Entonces la muchacha miró con asombro al nuevo, que lucía un bigote negro, y luego, con preocupación, buscó con los ojos el reloj y se levantó de un salto.

—Tengo que irme—dijo.

—Un momento, nena.

—¿Qué quieren ahora?

—¿A lo mejor después de este sueñecito te acuerdas con más claridad que anoche?

Ahora parecía arisca y le relucía la piel, sobre todo en la zona depilada de las cejas.

—No sé nada más. Tengo que volver a casa.

—¿Cómo era Oscar?

—¿Qué Oscar?

El hombre tenía ante la vista el informe que Simon redactó mientras ella dormía.

—El que quería asesinar a la condesa.

—Yo no he dicho que se llamara Oscar.

—¿Cómo se llamaba, pues?

—No lo sé. Ya no me acuerdo de lo que conté. Había bebido.

—¿O sea que toda la historia es falsa?

—No he dicho eso. Oí a dos hombres que hablaban detrás de la mampara, pero no oía más que frases sueltas, en algún momento. A lo mejor entendí mal.

—¿Entonces por qué viniste?

—Ya le he dicho que había bebido bastante. Cuando se bebe mucho, se ven las cosas de otra manera y hay tendencia a exagerar.

—¿Y no hablaron de la condesa?

—Sí…, creo que sí…

—¿Y de sus joyas?

—Hablaban de joyas.

—¿Y de liquidarla?

—Eso es lo que me pareció entender. Yo ya estaba completamente KO en aquel momento.

—¿Con quién habías bebido?

—Con varios clientes.

—¿Y con ese tal Albert?

—Sí. Tampoco le conozco. A los clientes no los conozco más que de vista.

—¿Incluido Oscar?

—¿Por qué repite siempre ese nombre?

—¿Le reconocerías?

—Sólo le vi de espaldas.

—Puede muy bien reconocerse una espalda.

—No podría asegurarlo. Tal vez. —Y preguntó a su vez, asaltada por una idea repentina—: ¿Han matado a alguien?—Y, como él no le contestaba, se puso más nerviosa. Debía de tener una buena resaca. El azul de sus pupilas estaba como diluido, y el carmín se le había corrido y le hacía una boca enorme—. ¿No puedo irme a mi casa?

—Espera un poco.

—Yo no he hecho nada.

Ahora había varios agentes en la dependencia general, ocupado cada uno en lo suyo y charlando entre ellos. Jacquart llamó a la central de patrullas policiales, y no tenían la menor noticia aún de condesa muerta alguna, y luego, por si acaso, para salvar su responsabilidad, llamó al quai des Orfèvres.

Lucas, que acababa de incorporarse al servicio y no estaba todavía del todo despierto, contestó sin demasiada convicción:

—Mandádmela.

Tras de lo cual no volvió a pensar en el asunto. Maigret llegó a su vez y echó un vistazo a los informes de la noche, antes de quitarse el abrigo y el sombrero.

Seguía lloviendo. Era un día espeso. Casi todo el mundo, aquella mañana, estaba de mal humor.

A las nueve y unos pocos minutos, un agente del distrito IX llevó a Arlette al quai des Orfèvres. Era nuevo y aún no conocía muy bien la casa, así que llamó a varias puertas, seguido por la muchacha.

Y una a la que llamó fue por casualidad la del despacho de los inspectores, donde el joven Lapointe, sentado en el borde de una mesa, estaba fumando un cigarrillo.

—¿El brigada Lucas, por favor?

No se dio cuenta de que Lapointe y Arlette se miraban intensamente, y cuando le indicaron el despacho contiguo, cerró la puerta.

—Siéntese—le dijo Lucas a la bailarina.

Maigret, que estaba dando su habitual vueltecita, mientras esperaba la hora del informe, se encontraba precisamente allí, cerca de la chimenea, llenándose una pipa.

—Esta chica—explicó Lucas—dice que oyó a dos hombres que tramaban asesinar a una condesa.

De un modo muy distinto a como se expresaba antes, ella contestó, clara y cortante ahora de pronto:

—Nunca he dicho eso.

—Contó que había oído a dos hombres…

—Estaba borracha.

—¿Y se lo inventó todo?

—Sí.

—¿Por qué?

—No lo sé. Estaba grogui. Me fastidiaba tener que irme a casa y entré por casualidad en la comisaría.

Maigret le lanzó una breve mirada curiosa, y siguió recorriendo con la vista sus papeles.

—¿De modo que no hay ninguna condesa?

—No…

—¿Nada de nada?

—Quizá oí hablar de una condesa. A veces pasa, ya sabe, que se coge una palabra al vuelo y se le queda a uno en la cabeza.

—¿Esta noche?

—Probablemente.

—Y a partir de eso montó usted toda su historia.

—¿Es que usted sabe todo lo que dice cuando ha bebido demasiado?

Maigret sonrió. Lucas parecía molesto.

—¿No sabe que eso es delito?

—¿El qué?

—Declarar en falso. Podría procesársela por ofensa a…

—Me da lo mismo. Lo único que pido es que me dejen irme a casa a dormir.

—¿Vive sola?

—¡Toma, claro!

Maigret volvió a sonreír.

—¿Tampoco recuerda al cliente con el que bebió una botella de champán y que le tenía cogidas las manos, el tal Albert?

—No recuerdo casi nada. ¿Voy a tener que dibujárselo? Todo el mundo, en el Picratt's, le dirá que estaba grogui.

—¿Desde qué hora?

—La cosa empezó ayer por la noche, si se empeña en que precise.

—¿Con quién?

—Yo sola.

—¿Dónde?

—Por aquí y por allá. En bares. Ya se ve que usted no sabe lo que es vivir completamente sola.

La frase resultaba divertida, aplicada al pobre Lucas, que procuraba por todos los medios aparentar severidad.

El día empezaba pasado por agua y prometía seguir lloviendo hasta la noche, una lluvia fría y monótona, con un cielo bajo, y con las luces encendidas en todos los despachos y huellas húmedas por el parquet.

Lucas tenía otro caso entre manos, un robo por efracción en un depósito del quai de Javel, y tenía prisa por irse. Miró a Maigret, inquisitivo.

«¿Qué hago?», parecía preguntar.

Y como estaba sonando el timbre precisamente para el informe, Maigret se encogió de hombros. Lo que significaba: «Eso es asunto tuyo».

—¿Tiene usted teléfono?—preguntó el brigada.

—Hay un teléfono en la cabina de la portera.

—¿Vive en una pensión?

—No. Vivo en mi casa.

—¿Sola?

—Ya se lo he dicho.

—¿No le da miedo, si la dejo marchar, encontrarse con Oscar?

—Quiero irme a mi casa.

No podían retenerla indefinidamente por haber contado un cuento chino en la comisaría del distrito.

—Llámeme si hay algo nuevo—dijo Lucas levantándose—. Supongo que no tiene intención de salir de la ciudad…

—No. ¿Por qué?

Le abrió la puerta y la vio alejarse por el amplio pasillo y dudar en lo alto de la escalera. La gente se volvía al verla pasar. Daba la sensación de salir de otro mundo, del mundo de la noche, y parecía casi indecente a la cruda luz de un día invernal.

En su despacho, Lucas aspiró el olor que había dejado tras de sí, un olor a mujer, casi a cama. Llamó otra vez a la central de patrullas policiales.

—¿Ninguna condesa?

—Sin novedad.

Luego abrió la puerta del despacho de los inspectores.

—Lapointe…—llamó sin mirar.

Una voz que no era la del joven inspector contestó:

—Acaba de salir.

—¿No ha dicho adónde iba?

—Dijo que volvía enseguida.

—Cuando venga dile que le necesito. No es para nada de lo de Arlette, ni de la condesa, sino para que vaya conmigo a Javel.

Lapointe volvió al cabo de un cuarto de hora. Los dos hombres se pusieron el abrigo y el sombrero, y fueron a coger el metro a Châtelet.

Maigret, al salir del despacho del jefe, donde había tenido lugar el informe cotidiano, se instaló ante una pila de expedientes, encendió una pipa y se juró no moverse en toda la mañana.

Debían de ser alrededor de las nueve y media cuando Arlette salió de la Policía Judicial. ¿Habría cogido el metro o el autobús, para ir a la calle Notre-Dame-de-Lorette? Nadie se había preocupado por saberlo.

¿Quizá se detuvo en un bar a tomarse un café con leche y un croissant? La portera no la había visto volver. La verdad es que en el edificio se producían muchas idas y venidas, a dos pasos como estaban de la place Saint-Georges.

Iban a dar las once cuando la portera se puso a barrer la escalera del edificio B y le sorprendió ver la puerta de Arlette entreabierta.

Lapointe, en Javel, estaba distraído, preocupado, y Lucas, al ver que tenía una cara extraña, le preguntó si no se encontraba bien.

—Creo que estoy incubando un catarro.

Los dos hombres seguían interrogando a los vecinos del depósito donde había habido un robo cuando sonó el teléfono en el despacho de Maigret.

—Aquí el comisario del distrito Saint-Georges…

Eran las dependencias de la rue La Rochefoucauld, donde Arlette había entrado hacia las cuatro y media de la madrugada y en donde acabó quedándose dormida en un banco.

—Me comunica mi secretario que esta mañana le enviaron a una chica llamada Jeanne Leleu, conocida como Arlette, que aseguraba haber sorprendido una conversación referente al asesinato de una condesa.

—Estoy vagamente al corriente—contestó Maigret, frunciendo el entrecejo—. ¿Ha muerto?

—Sí. Acaban de encontrarla estrangulada en su habitación.

—¿Estaba en su cama?

—No.

—¿Vestida?

—Sí.

—¿Con el abrigo aún puesto?

—No. Llevaba un vestido de seda negra. Al menos eso es lo que me han dicho mis hombres ahora mismo. Yo no he ido aún. Quería llamarle a usted primero. Al parecer la cosa iba en serio.

—Realmente iba en serio.

—¿Sigue sin saberse nada referente a una condesa?

—Hasta ahora, nada. Puede llevar tiempo.

—¿Se encarga usted de avisar a los del ministerio público?

—Ahora les llamo y me voy enseguida para allá.

—Sí, vale más. Un caso curioso, ¿verdad? Mi brigada del turno de noche no se preocupó demasiado porque la chica estaba borracha. Hasta ahora.

—Hasta ahora.

Maigret quería llevarse a Lucas, pero, al ver su despacho vacío, se acordó del caso de Javel. Lapointe tampoco estaba. Janvier volvía en aquel momento y llevaba aún sobre los hombros el impermeable mojado y frío.

—¡Vente!

Y, como de costumbre, se metió dos pipas en el bolsillo.

Janvier detuvo el cochecito de la Policía Judicial junto al bordillo, y los dos hombres hicieron, a la vez, un movimiento idéntico para verificar el número de la casa, tras de lo cual intercambiaron una mirada de sorpresa. No había aglomeración en la acera, nadie tampoco bajo la bóveda de la entrada ni en el patio que conducía a las distintas escaleras, y el agente que siguiendo la rutina había enviado el comisario para mantener el orden se limitaba a pasear arriba y abajo a cierta distancia.

No iban a tardar en saber el motivo de tal indiferencia. El comisario del distrito, el señor Beulant, abrió la cabina de la portería para salir a recibirlos, y cerca de él estaba la portera, una mujer alta y tranquila, de aspecto inteligente.

—La señora Boué—presentó el comisario—. Es la esposa de un sargento nuestro. Cuando descubrió el cuerpo, cerró la puerta con su llave maestra y bajó a telefonearme. Nadie sabe nada todavía en la casa.

Ella inclinó levemente la cabeza como ante un cumplido.

—¿No hay nadie arriba?—preguntó Maigret.

—El inspector Lognon ha subido con el médico de identificación civil. Por mi parte, he tenido una larga conversación con la señora Boué, y hemos intentado entre los dos pensar de qué condesa podía tratarse.

—Yo no sé de ninguna condesa en el barrio—dijo ella. En su porte, su actitud, su voz y su manera de expresarse, se adivinaba su interés por servir de testigo perfecto—. La chiquita no era mala. Teníamos poca relación, dado que volvía de madrugada y pasaba la mayor parte del día durmiendo.

—¿Hace tiempo que vivía en la casa?

—Dos años. Ocupaba un apartamento de dos habitaciones en la escalera B, al fondo del patio.

—¿Recibía muchas visitas?

—Yo diría que nunca.

—¿Hombres?

—Si venían, yo no los veía. Salvo al principio. Cuando se instaló aquí y llegaron sus muebles, vi un par de veces a un hombre de mediana edad, que al principio tomé por su padre, un hombre bajo muy ancho de hombros. No me dirigió nunca la palabra. Hasta donde yo sé, no ha vuelto desde entonces. Hay muchos inquilinos en el edificio, oficinas sobre todo, en la escalera A, y es un constante ir y venir.

—Probablemente volveré enseguida, a seguir charlando con usted.

La casa era vieja. Bajo la bóveda de la entrada, se abría una escalera a la izquierda y otra a la derecha, ambas sombrías, con placas de marmorita o de esmalte que anunciaban una peluquería de señoras en el entresuelo, una masajista en el primero, y en el segundo una empresa de flores artificiales, una gestoría y hasta una vidente con extraordinarios poderes. Los adoquines del patio relucían con la lluvia, y una B pintada en negro remataba la puerta que aparecía ante ellos.

Subieron tres pisos, dejando huellas oscuras en los escalones, y sólo una puerta se abrió a su paso, la de una enorme mujer de cabello ralo, recogido con bigudís, que les miró asombrada y volvió a cerrar echando la llave.

El inspector Lognon, del distrito Saint-George, los recibió, lúgubre, como de costumbre, y la mirada que lanzó a Maigret significaba: «¡Lo sabía!».

Lo que sabía no era que fueran a estrangular a la joven,

sino que, al cometerse un crimen en el distrito y ser enviado al lugar de los hechos, llegaría Maigret en persona a arrebatarle el caso de las manos.

—No he tocado nada—dijo en su tono más oficial—. El doctor está todavía en la habitación.

Ninguna vivienda tendría un aspecto alegre con aquel tiempo. Era uno de esos días tristes en que uno se pregunta qué habrá venido a hacer a esta tierra y por qué pone tanto empeño en quedarse.

La primera pieza era una especie de salón, acogedoramente amueblado, de una limpieza meticulosa, y, contra lo que cabía esperar, en un orden perfecto. Lo que a primera vista llamaba vivamente la atención era el parquet encerado con tanto esmero como el de un convento y que desprendía un grato olor a encáustico. Había que acordarse de preguntar a la portera, dentro de poco, si Arlette se ocupaba personalmente de la limpieza del piso.

Por la puerta entreabierta vieron al doctor Pasquier poniéndose el abrigo y colocando sus instrumentos en su maletín. Sobre la alfombra blanca de piel de cabra, a los pies de la cama, que estaba sin abrir, había un cuerpo tendido, con un vestido de raso negro, un brazo muy blanco, y una cabellera de reflejos cobrizos.

Lo más conmovedor resulta siempre un detalle ridículo, y en aquella ocasión, lo que a Maigret le encogió un poco el corazón fue, al lado de un pie calzado aún con un zapato de tacón alto, el otro pie, sin zapato, cuyos dedos se transparentaban a través de una media de seda salpicada de gotitas de barro, y con una carrera que partía del talón y llegaba más arriba de la rodilla.

—Muerta, evidentemente—dijo el médico—. El que lo hizo no la soltó hasta el final.

—¿Se puede determinar a qué hora ocurrió?

—Hace apenas hora y media. Aún no se ha producido el *rigor mortis*.

Maigret había observado, cerca de la cama, detrás de la puerta, un armario abierto, en el que había colgados algunos vestidos, sobre todo trajes de noche, la mayoría negros.

—¿Cree que fue asaltada por la espalda?

—Es probable, porque no he advertido indicios de lucha. ¿Es a usted a quien debo enviar mi informe, señor Maigret?

—Sí, por favor.

La habitación, muy coqueta, no casaba bien con la idea de una artista de cabaret. Al igual que en la sala, todo estaba en orden, salvo que el abrigo de imitación de visón estaba echado de través sobre la cama y el bolso en una butaca.

Maigret explicó:

—Serían las nueve y media cuando salió del quai des Orfèvres. Si cogió un taxi, debían de ser las diez cuando llegó aquí. Si vino en metro o en autobús, debió de llegar algo más tarde. La asaltaron enseguida. —Se adelantó hacia el armario empotrado y examinó el suelo—. Alguien estaba esperándola, alguien que se había escondido aquí y la agarró por el cuello en cuanto se quitó el abrigo.

El suceso era muy reciente. No sucedía con frecuencia que tuvieran ocasión de llegar tan pronto al lugar de un crimen.

—¿Me necesita para algo más?—preguntó el doctor.

Y se fue. El comisario del distrito, a su vez, preguntó si tenía que quedarse hasta que llegaran los del ministerio fiscal, y al poco se marchó a su despacho, que quedaba sólo a dos pasos. En cuanto a Lognon, estaba pensando que le dirían que ya no hacía falta tampoco, y, de pie en un rincón, seguía con su aire huraño.

—¿No ha encontrado usted nada?—le preguntó Maigret llenando su pipa.

—He echado un vistazo a los cajones. Mire en el de la izquierda de la cómoda.

Estaba lleno de fotografías, todas ellas de Arlette. Algunas eran fotografías publicitarias, como las que estaban expuestas en la fachada del Picratt's. Se la veía con un vestido de seda negro, no el vestido de calle que llevaba ahora puesto, sino un traje de noche exageradamente ceñido.

—¿Vio alguna vez su número, Lognon, usted que es de este distrito?

—No lo vi, pero sé en qué consistía. A guisa de baile, como puede comprobar en las fotos de encima, se contorsionaba más o menos rítmicamente mientras se iba quitando muy despacio el vestido, bajo el cual no llevaba nada. Al final del número, se quedaba desnuda como su madre la trajo al mundo.

Daba la impresión de que la nariz bulbosa de Lognon se estremecía ruborizándose.

—Parece que eso es lo que se estila ahora en América en las *burlesques*. Y en el preciso momento en que ya no le quedaba nada encima, se apagaba la luz. —Tras una vacilación, añadió—: Debería usted mirar debajo del vestido.

—Y viendo que Maigret se quedaba esperando, sorprendido—: El doctor que la ha examinado me llamó para que lo viera. Está completamente depilada. Incluso por la calle, no llevaba nada debajo.

¿Por qué se sentían violentos los tres? Evitaban, sin haberse puesto de acuerdo, volverse hacia el cuerpo tendido en la alfombra de piel de cabra y que conservaba algo lascivo. Maigret sólo dedicó una somera ojeada a las demás fotografías, de un formato más pequeño, tomadas sin duda con una cámara de aficionado, en las que se veía a la joven, invariablemente desnuda, en las poses más eróticas.

—Búsqueme un sobre por ahí—dijo.

Y entonces, el imbécil de Lognon esbozó silenciosamente una sonrisa burlona, como reprochando al comisario que se llevaba las fotos para su propio disfrute, cómodamente en su despacho.

Janvier había empezado, en la habitación contigua, una minuciosa inspección del lugar de los hechos, y las fotos seguían pareciendo desentonar en aquel entorno que tenían ante los ojos, como la vida profesional de Arlette con su casa.

En una alacena, se podía ver un hornillo de petróleo, dos cacerolas muy limpias, algunos platos, tazas, cubiertos, que indicaban que ella misma hacía la comida, al menos en parte. Por fuera de la ventana, una fresquera suspendida sobre el patio contenía huevos, mantequilla, apio blanco y dos chuletas.

En otro armario había un montón de escobas, trapos del polvo, botes de encáustico, y todo aquello daba idea de una vida ordenada, de un ama de casa orgullosa de su hogar, incluso un poquitín meticulosa en exceso.

En vano buscaron cartas, papeles. Rodaba alguna revista por aquí y por allá, pero ningún libro, salvo uno de cocina y un diccionario francés-inglés. Tampoco se veían las típicas fotos de la familia, los amigos o los novios como las que hay en la mayoría de casas.

Muchos zapatos, de vertiginoso tacón, la mayoría prácticamente nuevos, como si Arlette tuviera verdadera locura por los zapatos o como si tuviera los pies delicados y le resultara difícil calzarse.

En el bolso, una polvera, unas llaves, un lápiz de labios, un carnet de identidad y un pañuelo sin marcar. Maigret se metió el carnet en el bolsillo. Como si no se sintiera cómodo en aquel pequeño apartamento, con un calor agobiante por la calefacción, se volvió a Janvier.

—Tú quédate a esperar al ministerio público. Probablemente volveré enseguida. Los de la Policía Científica no tardarán en llegar.

Como no habían encontrado ningún sobre, se metió las fotos en el bolsillo del abrigo, le dirigió una sonrisa a Lognon, a quien sus colegas apodaban el inspector Malasombra, y empezó a bajar la escalera.

Tenían por delante un largo y minucioso trabajo con el vecindario, habría que interrogar a todos los inquilinos, entre ellos a la gorda de los bigudís, que al parecer estaba muy interesada por cuanto ocurría en la escalera y quizá vio subir o bajar al asesino. Maigret se detuvo primero en la portería, y le pidió a la señora Boué permiso para usar el teléfono, que estaba cerca de la cama, bajo una fotografía del sargento Boué de uniforme.

—¿Lucas no ha vuelto?—preguntó, cuando tuvo la Policía Judicial al aparato.

Le dictó a otro inspector las indicaciones que contenía el carnet de identidad.

—Ponte en comunicación con Moulins. Averigua si le queda algún pariente. Deberíamos encontrar a quienes la conocían. Si sus padres viven, ocúpate de que les avisen. Supongo que vendrán inmediatamente.

Iba ya alejándose por la acera, subiendo hacia la rue Pigalle, cuando oyó parar un auto. Eran los del ministerio público. La Policía Científica llegaría en cualquier momento y prefería no estar presente cuando, al cabo de poco, veinte personas se ajetrearan en el minúsculo apartamento donde aún no se había levantado el cadáver.

Había una panadería a la izquierda, y a la derecha una bodega con el escaparate pintado de amarillo. De noche, el Picratt's seguramente adquiría notoriedad debido al rótulo de neón, que resaltaba sobre la oscuridad de las casas contiguas. De día, cabía la posibilidad de pasar por delante sin sospechar que allí hubiera una boîte.

La fachada era estrecha, una puerta y una ventana, y, bajo la lluvia, en aquella luz turbia, las fotografías expuestas tenían un lúgubre aspecto, y adquirían un aire equívoco.

Era más de mediodía. Y a Maigret le sorprendió encontrar la puerta abierta. Dentro había una bombilla encendida, y una mujer estaba barriendo el suelo entre las mesas.

—¿Está el dueño?—preguntó.

Ella le miró sin alterarse, con la escoba en la mano, y preguntó a su vez:

—¿Para qué le quiere?

—Querría hablar personalmente con él.

—Está durmiendo. Soy su mujer.

Había rebasado ya la cincuentena, quizá anduviera cerca de los sesenta. Estaba rolliza pero todavía era ágil, y en su rostro abotagado relucían unos bellos ojos castaños.

—Comisario Maigret, de la Policía Judicial.

Ella siguió impasible.

—¿Quiere sentarse?

La oscuridad era casi total en el interior, y el rojo de las paredes y tapicerías parecía casi negro. Sólo las botellas, en la barra, cerca de la puerta, que había quedado abierta, adquirían algunos reflejos a la luz del día. La sala era muy alargada, baja de techo, con un estrado longitudinal para los músicos, un piano, un acordeón en su estuche, y, en torno a la pista de baile, unas mamparas como de metro y medio de altura formaban una especie de boxes donde los clientes se sentían más o menos aislados.

—¿Es preciso que despierte a Fred?

Iba en zapatillas, se había echado un delantal sobre un vestido viejo, y aún no se había lavado ni peinado.

—¿Está usted aquí por las noches?

—Soy yo quien se ocupa de los lavabos, y también de la cocina cuando algún cliente pide algo de comer—contestó con sencillez.

—¿Viven en el local?

—En el entresuelo. Hay una escalera, por detrás, que lleva de la cocina a nuestra vivienda. Pero tenemos una casa en Bougival, y vamos los días que no tenemos abierto.

No se la notaba inquieta. Intrigada, probablemente sí, al ver a un miembro tan importante de la policía personarse en su casa. Pero estaba acostumbrada y esperaba pacientemente.

—¿Hace mucho que regentan este cabaret?

—Hará once años el mes que viene.

—¿Tienen muchos clientes?

—Depende del día.

Maigret se fijó en un tarjetón impreso que decía:

FINISH THE NIGHT AT PICRATT'S
THE HOTTEST SPOT IN PARIS

El poco inglés que sabía le permitió entender: «Acabe la noche en el Picratt's, el sitio más excitante de París».

Excitante no era el término exacto. La palabra inglesa era más elocuente. El sitio más «caliente» de París, ya que lo de «caliente» estaba usado en un sentido muy concreto.

Ella seguía mirándole con tranquilidad.

—¿No quiere tomar algo?

Estaba segura de que declinaría la invitación.

—¿Dónde reparten estos anuncios?

—Los repartimos a los porteros de los grandes hoteles, que se los ponen en la mano discretamente a sus huéspedes, sobre todo a los americanos. Ya muy entrada la noche, cuando los extranjeros empiezan a estar hartos de las grandes boîtes y ya no saben adónde ir, nuestro Saltamontes, que ronda por los alrededores, les mete una tarjeta en la mano como quien no quiere la cosa, o las deja caer en los coches y los taxis. En resumidas cuentas, que nosotros empezamos a trabajar cuando los demás terminan. ¿Comprende?

Comprendía. La mayoría de los que iban allí ya habían estado rodando por varios locales de Montmartre sin encontrar lo que buscaban y probaban una última oportunidad.

—La mayoría de sus clientes deben de llegarles ya medio borrachos...

—Por supuesto.

—¿Tenían mucha gente anoche?

—Era lunes. Nunca hay multitudes los lunes.

—¿Desde donde usted está habitualmente, puede ver lo que pasa en la sala?

Ella le señaló, al fondo, a la izquierda del estrado de los músicos, una puerta con la indicación LAVABOS. Otra puerta, a la derecha, resultaba simétrica, y no llevaba letrero.

—Yo casi siempre estoy allí. No tenemos ningún interés en servir comida, pero a veces algún cliente pide una sopa de cebolla, o foie-gras, o langosta fría. En esos casos me meto un poco en la cocina.

—Si no, ¿se queda en la sala?

—Casi siempre. Vigilo a nuestras pupilas y, llegado el momento, vengo a ofrecer una caja de bombones, o unas flores, o una muñeca de raso. Ya sabe usted cómo va esto, ¿no?

No trataba de dorarle la píldora. Se había sentado con un

suspiro de alivio y había sacado un pie de la zapatilla, un pie hinchado, deforme.

—¿Adónde quiere ir a parar? No es que quiera meterle prisa, pero dentro de poco tendré que ir a despertar a Fred. Es un hombre y necesita dormir más que yo.

—¿A qué hora se acostó usted?

—Serían las cinco. A veces, dan las siete y aún no he subido.

—¿Y a qué hora se ha levantado?

—Hace una hora. Me ha dado tiempo a barrer, ya lo ve.

—¿Su marido se acostó al mismo tiempo que usted?

—Subió cinco minutos antes que yo.

—¿Y no ha salido en toda la mañana?

—Aún no se ha levantado.

Empezaba a preocuparla tanta insistencia en hablar de su marido.

—¿No se tratará de él, supongo?

—No concretamente, sino de dos hombres que vinieron aquí anoche, hacia las dos de la madrugada, y que estuvieron en uno de los boxes. ¿Los recuerda?

—¿Dos hombres?

Recorrió con la vista las mesas una por una, como buscando en su memoria.

—¿Recuerda usted en qué sitio estaba Arlette antes de ir a hacer su último número?

—Estaba con su chico, sí. Incluso le dije que estaba perdiendo el tiempo.

—¿Viene él a menudo?

—Ha venido tres o cuatro veces últimamente. Más de uno pierde aquí la cabeza y se enamora de una de las chicas. Y como les digo a ellas siempre, que se den el gusto una vez, si les apetece, pero que procuren que no vuelvan. Estaban allí los dos, en el tercer box de espaldas a la calle, el número 6. Desde mi sitio, los veía. Él le tenía todo el rato las manos cogidas y le iba contando cosas con ese aire alelado que tienen todos en esos casos.

—¿Y en el box contiguo?

—No vi a nadie.

—¿En ningún momento?

—Eso es fácil de saber. Las mesas no se han limpiado aún. Si hubo algún cliente en ésa, tienen que quedar colillas de cigarrillos o de puros en el cenicero y los redondeles que dejan las copas en la mesa.

No se movió, mientras él iba a comprobarlo por sí mismo.

—No veo nada.

—Otro día no lo diría tan segura, pero el lunes está tan vacío que hemos pensado cerrar ese día. No teníamos ni doce clientes en total, juraría. Mi marido podrá confirmárselo.

—¿Conoce usted a Oscar?—preguntó él a bocajarro.

Ella ni se estremeció, pero le dio la impresión de que ya no era tan franca:

—¿Qué Oscar?

—Un hombre ya maduro, bajito, fornido, con el pelo gris.

—Todo eso no me dice nada. El carnicero se llama Oscar, pero es un hombre alto y moreno con bigote. ¿Quién sabe si mi marido…?

—¿Quiere, por favor, ir a buscarle?

Se quedó solo en su sitio, en aquella especie de túnel púrpura al final del cual la puerta dibujaba un rectángulo gris claro, una especie de pantalla sobre la cual se proyectaran los personajes sin consistencia de un viejo noticiario cinematográfico.

Justo delante de él, en la pared, vio una foto de Arlette,

con el eterno vestido negro y ceñido que moldeaba su cuerpo de tal modo que parecía más desnuda que en las fotografías obscenas que él llevaba en el bolsillo.

Aquella mañana, en el despacho de Lucas, apenas si se fijó en ella. No era más que una pequeña ave nocturna como tantas. Sin embargo, le impresionó su juventud, y le pareció que algo no casaba. Seguía oyendo su voz cansada, esa voz que todas tienen al amanecer, después de beber demasiado y fumar demasiado. Volvía a ver sus ojos inquietos, recordaba la mirada que él le dirigió maquinalmente al pecho, y sobre todo aquel olor a mujer, casi un olor a cama caliente, que emanaba de ella.

Pocas veces había tenido ocasión de conocer a una mujer que diera tan fuerte impresión de sexualidad, lo cual estaba en desacuerdo con sus ojos de chiquilla angustiada, y aún más en desacuerdo con la vivienda que acababan de visitar, con su parquet tan bien encerado, su armario para las escobas, y su fresquera.

—Fred baja enseguida.

—¿Le ha preguntado lo que le he dicho?

—Le he preguntado si se fijó en dos hombres. No los recuerda. Está incluso seguro de que en esa mesa no hubo dos clientes. Es la 4. Les ponemos números a las mesas. Sí que hubo un americano en la 5, que pidió una botella de whisky, y toda una panda con mujeres en la 11. Désiré, el camarero, podrá confirmárselo esta noche.

—¿Dónde vive?

—En las afueras. No sé exactamente dónde. Coge un tren por la mañana en la Gare Saint-Lazare para volver a su casa.

—¿Tienen más empleados?

—El Saltamontes, que les abre las portezuelas, sirve de botones, y si se tercia, reparte los anuncios. Y, además, los músicos y las mujeres.

—¿Cuántas mujeres?

—Aparte de Arlette, está Betty Brice. Vea esa foto ahí a la izquierda. Hace danza acrobática. Y está también Tania, que antes y después de su número toca el piano. Y eso es todo, de momento. Y las hay, claro, que vienen de fuera a tomar una copa, con la esperanza de encontrar algún cliente, pero no forman parte de la casa. Estamos como en familia. Fred y yo no tenemos ambiciones, y cuando hayamos ahorrado algún dinero, nos iremos a vivir en paz a nuestra casa de Bougival. ¡Mire!, ya viene…

Un hombre de unos cincuenta años, bajo y recio, perfectamente conservado, con el cabello aún negro y sólo algunos cabellos plateados en las sienes, salía de la cocina poniéndose una americana sobre la camisa sin cuello. Debía de haber cogido las primeras prendas que encontró a mano, porque llevaba el pantalón del smoking pero iba en zapatillas, sin calcetines.

Se le veía tranquilo, a él también, más tranquilo aún que su mujer. Sin duda conocía a Maigret de nombre, pero era la primera vez que se encontraba en su presencia y venía despacio, para darse tiempo a observarle.

—Fred Alfonsi—se presentó, tendiéndole la mano—. ¿Mi mujer no le ha ofrecido algo para tomar?—Como para asegurarse, fue a pasar la palma de la mano por la mesa número 4—. ¿De veras no quiere tomar nada? ¿Le importa que la Rose vaya a prepararme una taza de café?

Se refería a su mujer, que se dirigió a la cocina, donde desapareció. El hombre se sentó frente al comisario, con los codos en la mesa, y esperó.

—¿Está seguro de que no había ningún cliente en esa mesa anoche?

—Mire, señor comisario. Yo sé quién es usted, pero usted a mí no me conoce. A lo mejor antes de venir ya se ha

35

informado con sus colegas de la brigada de Costumbres. Esos señores, cumpliendo con su oficio, pasan de vez en cuando a verme, y eso desde hace años. Ellos le dirán, suponiendo que no lo hayan hecho ya, que soy un hombre inofensivo.

Resultaba chusco, mientras pronunciaba esas palabras, observar su nariz aplastada y sus orejas en forma de coliflor como de antiguo boxeador.

—Si yo le aseguro que no había nadie en esa mesa, es que no había nadie. Mi establecimiento es modesto. Somos sólo unos cuantos los que hacemos que esto funcione, y yo estoy siempre aquí, sin quitarle ojo a nada. Podría decirle exactamente cuántas personas pasaron por aquí la noche pasada. No tendría más que mirar los tickets de la caja, que llevan el número de la mesa.

—¿Arlette estaba efectivamente en la 6, con su chico?

—En la 6. Las de la derecha son las pares: 2, 4, 6, 8, 10, 12. Las de la izquierda, las impares.

—¿Y en la mesa siguiente?

—¿En la 8? Allí estuvieron dos parejas, hacia las cuatro de la madrugada, gente de París que no habían venido nunca, que no sabían ya adónde ir y que enseguida vieron que no era lo que buscaban. Se quedaron justo el tiempo de tomar una botella de champán y se fueron. Cerré casi inmediatamente después.

—¿Ni en esa mesa, ni en ninguna otra, no vio a dos hombres solos, uno ya de cierta edad y que respondería un poco a la apariencia suya?

Como quien no es nuevo en tales lides, Fred Alfonsi esbozó una sonrisa y replicó:

—Si me pone en antecedentes, quizá pueda serle útil. ¿No cree que ya llevamos bastante jugando al ratón y al gato?

—Arlette ha muerto.

—¡¿Qué?!—tuvo un sobresalto. Se levantó de la silla, impresionado, y gritó hacia el fondo de la sala—: ¡Rose...! ¡Rose...!

—Sí... Voy enseguida...

—¡Arlette ha muerto!

—¡¿Qué dices...?!—Se acercó precipitadamente, con asombrosa agilidad dada su corpulencia—. ¿Arlette?—repitió.

—La han estrangulado esta mañana en su habitación —prosiguió Maigret mirándolos a ambos.

—Pero ¿qué dice? ¿Quién es el cerdo que...?

—Es lo que trato de averiguar.

La Rose se sonó y se la veía efectivamente a punto de llorar. Tenía la vista fija en la fotografía colgada en la pared.

—¿Cómo ha sido?—preguntó Fred dirigiéndose a la barra.

Eligió una botella con cuidado, llenó tres copas y fue primero a darle una a su mujer. Era un buen coñac añejo, y dejó una copa, sin insistir, ante Maigret, que acabó por humedecerse los labios.

—Anoche oyó casualmente una conversación, aquí, entre dos hombres, a propósito de una condesa.

—¿Qué condesa?

—No tengo ni idea. Uno de los hombres parece que se llamaba Oscar.

Fred ni se inmutó.

—Al salir de aquí, se fue a la comisaría del distrito para dar cuenta de lo que había oído, y la mandaron al quai des Orfèvres.

—¿Por eso se la han cargado?

—Probablemente.

—¿Tú viste a dos hombres juntos, Rose?

Ella respondió que no. Realmente ambos parecían tan sorprendidos, tan afectados, uno como otro.

—Le juro, señor comisario, que si dos hombres hubieran estado aquí, yo lo sabría y se lo diría. Ni usted ni yo vamos a pasarnos de listos en esto. Usted ya sabe cómo funciona una boîte como ésta. La gente no viene para ver números extraordinarios, ni para bailar al son de un jazz de primera. Tampoco es un salón elegante. Ya ha leído el folleto.

»Primero van a las otras boîtes, buscando algo excitante. Si se consiguen una furcia, ya ni los vemos. Pero si no encuentran lo que querían, acaban casi siempre aquí, y para entonces, ya van más que achispados.

»La mayoría de taxistas que circulan de noche son amiguetes míos y les paso bajo mano una buena propina. Algunos porteros de las boîtes elegantes les dan el soplo a sus clientes cuando ven que se van.

»Por aquí vienen sobre todo extranjeros, que se imaginan que encontrarán cosas extraordinarias.

»Pero la verdad, lo único extraordinario que teníamos era Arlette, porque se desnudaba. Durante un cuarto de segundo, en el preciso instante en que el vestido caía por completo, la veían completamente desnuda. Para no tener problemas, le pedí que se depilara, porque parece que así resulta menos indecente.

»Después, no era raro que la invitaran a una mesa.

—¿Se acostaba con los clientes?—preguntó Maigret con calma.

—En todo caso, aquí no. Y no en horas de trabajo. No las dejo salir mientras tenemos abierto. Ellas se las componen para tenerlos aquí el mayor tiempo posible haciéndoles beber, y supongo que les prometen reunirse con ellos al salir.

—¿Y lo hacen?

—¿A usted qué le parece?

—¿Arlette también?

—Me imagino que sí.

—¿Con el chico de anoche?

—Aseguraría que no. Ése iba, digamos, con buenas intenciones. Entró una noche por casualidad, con un amigo, y se enamoró inmediatamente de Arlette. Ha vuelto varias veces, pero nunca se queda hasta la hora de cerrar. Seguramente se levantará temprano para ir al trabajo.

—¿Tenía más clientes habituales?

—Aquí no tenemos clientes habituales, como es lógico. Son aves de paso. Todos son parecidos, pero siempre son nuevos.

—¿No tenía amigos?

—No tengo ni idea—contestó, bastante fríamente.

Maigret miró dudando a la mujer de Fred.

—¿Y usted alguna vez no…?

—Puede usted hablar con claridad. Rose no es celosa y hace siglos que eso ya no la atormenta. Pues sí, alguna vez sí, yo también, si quiere saberlo.

—¿En casa de ella?

—Nunca puse los pies en su casa. Aquí. En la cocina.

—Siempre lo hace en la cocina—dijo Rose—. No te da tiempo a verle desaparecer y ya está de vuelta. Y luego llega la mujer, sacudiéndose como una gallina.

A ella le daba risa.

—¿Y no sabe nada de la condesa?

—¿Qué condesa?

—No tiene importancia. ¿Puede darme la dirección del Saltamontes? ¿Cómo se llama de verdad el muchacho?

—Thomas, no tiene apellido… Se crió en la Inclusa. Me es imposible decirle dónde duerme, pero le encontrará esta tarde en las carreras. Es su única pasión. ¿Otra copa?

—No, gracias.

—¿Cree que vendrán periodistas?

—Es probable. Cuando se enteren.

Resultaba difícil adivinar si a Fred le encantaba la publicidad que ello le reportaría o si le fastidiaba.

—En cualquier caso, estoy a su disposición. Supongo que es preferible abrir esta noche como de costumbre. Si quiere venir, podrá interrogar a todo el mundo.

Cuando Maigret llegó a la rue Notre-Dame-de-Lorette, el coche del ministerio fiscal ya se había ido y una ambulancia se alejaba con el cadáver de la joven. Había un grupito de mirones a la puerta, aunque menos de lo que hubiera cabido imaginar.

Encontró a Janvier en la portería, hablando por teléfono. Cuando el inspector colgó, dijo:

—Ya hemos recibido noticias de Moulins. Los Leleu viven aún ambos, padre y madre, con un hijo que es empleado de banca. En cuanto a Jeanne Leleu, la hija, es una morenita de nariz chata que se marchó de casa ya va para tres años y no ha vuelto a dar señales de vida. Sus padres no quieren ya ni oír hablar de ella.

—¿Los datos de identificación no coinciden en nada?

—En nada. Tiene cinco centímetros menos de estatura que Arlette, y es poco probable que se haya hecho alargar la nariz.

—¿No ha habido llamadas sobre la condesa?

—Nada, por ese lado. He interrogado a los vecinos de la escalera B. Son muchos. La gorda rubia que se nos quedó mirando al subir se ocupa del guardarropa en un teatro. Asegura que no se mete en nada de lo que ocurre en la casa, pero oyó pasar a alguien unos minutos antes que la muchacha.

—¿Así que la oyó subir, a ella? ¿Cómo la reconoció?

—Por los andares, asegura. En realidad, se pasa todo el tiempo mirando por la rendija de la puerta.

—¿Vio al hombre?

—Dice que no, pero que subía la escalera despacio, como si pesara mucho o como alguien que padece del corazón.

—¿No le oyó volver a bajar?

—No.

—¿Está segura de que no era un inquilino de los pisos de encima?

—Se conoce los andares de todos los inquilinos. También he visto a la vecina de Arlette, que es camarera en una brasería y tuve que despertarla, pero no había oído nada.

—¿Qué más?

—Lucas telefoneó diciendo que está de vuelta en el despacho y espera instrucciones.

—¿Y las huellas?

—No hay más que las nuestras y las de Arlette. Le darán el informe esta noche.

—¿Alguno de sus inquilinos se llama Oscar?—le preguntó Maigret, sólo por si acaso, a la portera.

—No, señor comisario. Pero una vez, ya hace mucho, me dieron por teléfono un recado para Arlette. Una voz de hombre, con un acento así como de provincias, dijo: «¿Quiere decirle, por favor, que Oscar la espera donde ella sabe?».

—¿Hace cuánto más o menos?

—Fue al mes o dos de mudarse aquí. Me sorprendió, porque ha sido el único mensaje para ella.

—¿Recibía correo?

—De tanto en tanto alguna carta de Bruselas.

—¿Con letra de hombre?

—De mujer. Y letra de alguien sin mucha instrucción.

Media hora después, Maigret y Janvier, que se tomaron

una caña al pasar por la Brasserie Dauphine, subían las escaleras del quai des Orfèvres.

Apenas había abierto Maigret la puerta de su despacho cuando ya el joven Lapointe se adelantaba hacia él, con los párpados enrojecidos y la mirada febril.

—Tengo que hablar con usted inmediatamente, jefe.

Cuando el comisario salió de colgar el sombrero y el abrigo en el guardarropa, vio ante sí al inspector mordiéndose los labios y apretando los puños para no romper a llorar.

Hablaba entre dientes, de espaldas a Maigret, con la cara casi pegada al cristal.

—Cuando la vi aquí esta mañana, me pregunté por qué la habían traído. Mientras nos dirigíamos a Javel, el brigada Lucas me contó la historia. Y en cuanto vuelvo al despacho me entero de que ha muerto.

Maigret, que se había sentado, dijo muy despacio:

—No me acordé de que te llamas Albert.

—Con lo que ella le había confiado, el señor Lucas no debió dejarla marchar sola, sin la más mínima protección.

Hablaba con voz de niño malhumorado y el comisario sonrió.

—Ven y siéntate.

Lapointe dudó, como si le guardara también rencor a Maigret. Luego, de mala gana, se acercó y fue a sentarse frente a Maigret, en la silla de delante de su mesa. Mantenía la cabeza gacha, mirando fijamente al suelo, y ambos, con Maigret muy serio aspirando pequeñas bocanadas de su pipa, guardaban bastante similitud con un padre y un hijo en solemne conversación.

—No hace mucho que estás en la casa, pero ya debes de saber que, si tuviéramos que poner bajo protección a cuantos presentan una denuncia, a vosotros no os quedaría tiempo ni para dormir ni para un bocadillo a toda prisa. ¿Es así?

—Sí, jefe. Pero…

—Pero ¿qué?

—En el caso de ella, no era lo mismo.

—¿Por qué?

—Ya ve como no se trataba de una denuncia sin fundamento.

—Cuenta, pues, ahora que ya estás más tranquilo.

—¿Contar qué?

—Todo.

—¿Cómo la conocí?

—Si quieres. Empieza por el principio.

—Yo iba con un amigo de Meulan, un compañero del colegio, que no ha tenido muchas ocasiones de venir a París. Salimos primero con mi hermana, la acompañamos luego a casa y nos fuimos los dos a Montmartre. Ya sabe usted cómo va eso. Nos tomamos una copa en dos o tres boîtes, y, al salir de la última, una especie de gnomo nos puso un anuncio en la mano.

—¿Por qué dices una especie de gnomo?

—Porque aparenta catorce años, pero tiene la cara llena de arruguillas como un hombre ya muy gastado. Tiene el cuerpo y la figura de un chiquillo de la calle, y será por eso, supongo, que le llaman el Saltamontes. Como a mi amigo le habían defraudado los cabarets anteriores, pensé que el Picratt's le proporcionaría algo más picante, y entramos.

—¿Cuánto tiempo hará de eso?

Hizo memoria y pareció muy sorprendido, como si lamentara el resultado; no tuvo más remedio que contestar:

—Tres semanas.

—¿Y conociste a Arlette?

—Vino a sentarse en nuestra mesa. Mi amigo, que no tiene costumbre, la tomó por una furcia. Al salir, discutimos.

—¿A causa de ella?

—Sí. Yo ya me había dado cuenta de que no era como las demás.

Maigret escuchaba sin sonreír, limpiando meticulosamente una de sus pipas.

—¿Y volviste la noche siguiente?

—Quería excusarme por cómo le habló mi amigo.

—¿Qué le dijo exactamente?

—Le ofreció dinero para que se acostara con él.

—¿Y ella lo rechazó?

—Por supuesto. Fui pronto, para asegurarme de que no habría casi nadie, y aceptó tomar una copa conmigo.

—¿Una copa o una botella?

—Una botella. El dueño no las deja sentarse a las mesas con los clientes si sólo piden copas. Hay que tomar champán.

—Entiendo.

—Ya sé lo que está pensando. Pero lo que importa es que ella vino esta mañana a decir lo que sabía y que la han estrangulado.

—¿Ella te habló de que corriera algún peligro?

—No exactamente. Pero yo adivinaba que había algunos misterios en su vida.

—¿Como qué, por ejemplo?

—Es difícil de explicar y no va a creerme, porque yo la quería. —Pronunció estas últimas palabras en voz más baja, con la cabeza alta y mirando de frente al comisario, dispuesto a plantarle cara a la menor ironía por su parte—. Quería que cambiara de vida.

—¿Casarte con ella?

Lapointe titubeó, algo incómodo.

—No lo pensé. Probablemente no me hubiera casado con ella enseguida.

—Pero no querías que siguiera mostrándose desnuda en un cabaret, ¿no?

—Creo que eso la hacía sufrir.

—¿Te lo dijo?

—Es más complicado que eso, jefe. Entiendo que usted

vea los hechos de otro modo. Yo también conozco a las mujeres con quien uno se topa en esos sitios.

»Ante todo, resulta difícil saber lo que ella pensaba exactamente, porque bebía. Y ellas, en cambio, generalmente no beben, no será usted quien me lo niegue. Aparentan beber, para animar a los clientes a hacer gasto, pero a ellas les sirven una bebida cualquiera en una copita de licor. ¿A que sí?

—Casi siempre.

—Arlette bebía porque necesitaba beber. Casi todas las noches. Hasta tal punto que, cuando le tocaba su número, el dueño, el señor Fred, se veía obligado a ir a comprobar que se tenía en pie.

Lapointe se había integrado de tal modo en el Picratt's que decía «el señor Fred», como lo hacía sin duda el personal.

—¿No te quedabas nunca hasta la madrugada?

—Ella no quería.

—¿Por qué?

—Porque yo le había confesado que tenía que levantarme pronto para ir al trabajo.

—¿Le dijiste también que eras de la policía?

Se puso colorado nuevamente.

—No. Sí que le hablé de mi hermana, con la que vivo, y era Arlette quien me obligaba a irme a casa. Nunca le di dinero. No me dejaba pedir más que una botella, nunca más de una, y elegía el champán más barato.

—¿Tú crees que estaba enamorada?

—Anoche estaba convencido.

—¿Por qué? ¿De qué hablasteis?

—De lo mismo de siempre, de ella y de mí.

—¿Te contó quién era ella y a qué se dedica su familia?

—No me ocultó que su carnet de identidad era falso, y que sería terrible si se descubría su verdadero nombre.

46

—¿Era instruida?

—No lo sé. Lo que sí sé es que no estaba hecha para ese oficio. No me contó su vida. Sólo hizo alusión a un hombre del que no conseguiría nunca deshacerse, y añadía que era culpa de ella, que ya era demasiado tarde, y que yo no debía seguir yendo a verla porque le hacía daño inútilmente. Por eso digo que estaba empezando a quererme. Se le crispaban las manos sobre las mías mientras hablaba.

—¿Estaba ya borracha?

—Quizá sí. No cabe duda de que había bebido bastante, pero estaba completamente lúcida. Casi siempre la he visto así, tensa, con un poso de pena o de loca alegría en los ojos.

—¿Te acostaste con ella?

Había casi odio en la mirada que lanzó al comisario.

—¡No!

—¿No se lo pediste?

—No.

—¿Ella tampoco te lo propuso?

—Nunca.

—¿Te hizo creer que era virgen?

—Tuvo que someterse a algunos hombres. Los odiaba.

—¿Por qué?

—Por eso.

—¿El qué?

—Lo que le hacían. Le pasó cuando era muy joven, ignoro en qué circunstancias, y aquello la marcó. Un recuerdo la tenía obsesionada. Siempre me hablaba de un hombre al que tenía miedo.

—¿Oscar?

—No mencionó ningún nombre. Usted está convencido de que ella se burlaba de mí y de que soy un ingenuo, ¿verdad? Me da igual. Está muerta y eso prueba que tenía razón al tener miedo.

—¿Nunca sentiste el deseo de acostarte con ella?

—La primera noche—confesó—, cuando fui con mi amigo. ¿Usted llegó a verla viva? ¡Ah, sí!, unos pocos instantes, esta mañana, cuando estaba agotada, sin poder más de cansancio. Si la hubiera visto de otra manera, lo entendería... Ninguna mujer...

—¿Ninguna mujer...?

—Es demasiado difícil de explicar. Todos los hombres sentían ese deseo. Cuando hacía su número...

—¿Se acostaba con Fred?

—Tuvo que someterse a él, como a los otros.

Maigret hacía esfuerzos por saber hasta qué punto había hablado Arlette.

—¿Dónde?

—En la cocina. La Rose lo sabía. No se atrevía a decir nada por miedo a perder a su marido. ¿Ha hablado con ella?

Maigret asintió con un gesto.

—¿Le ha dicho cuántos años tiene?

—Supongo que ya pasó la cincuentena.

—Está cerca de los setenta. Fred tiene veinte años menos que ella. Al parecer era una de las mujeres más hermosas de su época y fue la entretenida de hombres muy ricos. Le quiere de veras. No se atreve a mostrarse celosa y trata de que todo quede en casa. Le parece menos peligroso así, ¿comprende?

—Comprendo.

—A Arlette le tenía más miedo que a las demás y la vigilaba continuamente. Sólo que Arlette era quien por así decirlo mantenía el local. De no ser por ella, no tendrían ya a nadie. Las otras son unas buenas chicas como hay tantas en los cabarets de Montmartre.

—¿Qué pasó anoche?

—¿Habló ella de anoche?

48

—Le dijo a Lucas que tú estabas con ella, pero sólo mencionó tu nombre de pila.

—Me quedé hasta las dos y media.

—¿En qué mesa?

—La 6.

Hablaba como un cliente habitual, y hasta como la gente de la casa.

—¿Había clientes en el box de al lado?

—En el 4, no. Se puso toda una patulea en el 8, hombres y mujeres, que metían mucha bulla.

—De modo que, suponiendo que hubiera alguien en el 4, tú no te habrías dado cuenta.

—Sí que me habría dado cuenta. No quería que oyeran lo que yo decía, y me levantaba de vez en cuando a mirar al otro lado de la mampara.

—¿No advertiste, en cualquiera de las mesas, a un hombre ya maduro, bajo y recio, con el pelo gris?

—No.

—Y mientras tú hablabas con ella, ¿Arlette no parecía escuchar otra conversación?

—Estoy seguro de que no. ¿Por qué?

—¿Quieres continuar la investigación conmigo?

Miró a Maigret, sorprendido, y luego de repente, rebosando agradecimiento, dijo:

—¿De veras quiere, a pesar de que…?

—Escúchame bien, porque esto es importante. Cuando salió del Picratt's, a las cuatro de la madrugada, Arlette se encaminó a la comisaría de la rue La Rochefoucauld. Según el brigada que escuchó su declaración, estaba muy excitada en ese momento y se tambaleaba un poco. Le dijo que había dos hombres ocupando la mesa número 4 cuando ella se encontraba en la 6 contigo, y que pudo oír en parte su conversación.

49

—Pero ¿por qué dijo eso?

—No tengo ni idea. Cuando lo sepamos, probablemente habremos adelantado mucho. Eso no es todo. Los dos hombres hablaban de una tal condesa que uno de ellos se proponía asesinar. Cuando salieron, según Arlette, vio muy bien, de espaldas, que uno era un hombre maduro, ancho de hombros, de baja estatura y con el pelo gris. Y durante la conversación, parece que oyó que le llamaba Oscar.

—Pero yo creo que lo habría oído...

—He estado hablando con Fred y su mujer. Ellos también aseguran que la mesa 4 no se ocupó en toda la noche, y que no vino ningún cliente con esas señas al Picratt's. Luego Arlette sabía algo. Y no quería, o no podía, confesar cómo se había enterado. Estaba borracha, me lo has dicho tú. Pensó que no se comprobaría dónde estaban sentados los clientes a lo largo de la noche. ¿Me sigues?

—Sí. ¿Cómo pudo mencionar un nombre? ¿Por qué?

—Exactamente. Nadie se lo preguntaba. No era necesario. Si lo hizo, fue por alguna razón. Y la razón no puede ser otra que la de ponernos sobre una pista. En la comisaría fue contundente, pero una vez aquí, después de dormir la mona de todo el champán que llevaba dentro, se mostró mucho más reticente, y a Lucas le dio la sensación de que de buena gana habría retirado todo lo dicho. Sin embargo, y ahora lo sabemos, no se trataba de palabras vanas.

—¡Eso seguro!

—Volvió a su casa, y alguien que la estaba esperando, escondido en el armario de su cuarto, la estranguló. Tenía que ser por tanto alguien que la conocía muy bien, que era un habitual en su casa y que probablemente tenía llave.

—¿Y la condesa?

—Ni rastro hasta ahora. O bien no la han matado, o bien

no ha descubierto nadie aún el cadáver, lo cual entra dentro de lo posible. ¿A ti no te habló nunca de una condesa?

—Nunca.

Lapointe se quedó un rato mirando fijamente el escritorio, y preguntó en un tono bien distinto:

—¿Cree usted que sufrió mucho?

—No mucho tiempo. Quien la atacó era alguien muy vigoroso y ella no llegó siquiera a debatirse.

—¿Está aún allí?

—Acaban de trasladarla al Instituto Médico Forense.

—¿Me autoriza a ir a verla?

—Cuando hayas comido.

—¿Qué debo hacer a continuación?

—Tienes que ir a su casa de la rue Notre-Dame-de-Lorette. Pídele la llave a Janvier. Él y yo hemos examinado ya el apartamento, pero quizá a ti, que la conocías, un detalle sin importancia te diga algo.

—Muchas gracias—dijo él fervorosamente, convencido de que Maigret le encargaba esta misión sólo por complacerle.

El comisario tuvo buen cuidado de no aludir a las fotografías que una carpeta ocultaba encima de su mesa, y cuyas esquinas sobresalían.

Vinieron a avisarle de que cinco o seis periodistas le esperaban en el pasillo para obtener información. Los hizo entrar, les contó sólo una parte de la historia, pero les entregó a cada uno una fotografía, de las que mostraban a Arlette con su vestido de seda negro.

—Digan también—recomendó—que le agradeceríamos a la llamada Jeanne Leleu, que actualmente debe de haber cambiado de nombre, que tenga a bien darse a conocer. Se le garantiza absoluta discreción, y no deseamos lo más mínimo complicarle la existencia.

Comió tarde, en su casa, y le dio tiempo a volver al quai des Orfèvres y leer el expediente de Alfonsi. París seguía teniendo el mismo aspecto fantasmal bajo la lluvia fina y sucia, y la gente de la calle parecía ajetrearse con la esperanza de salir de aquella especie de acuario.

Si bien el expediente del dueño del Picratt's era voluminoso, no contenía prácticamente nada que fuera sustancial. A los veinte años hizo el servicio militar en los Batallones de África, pues en aquella época era el macarra de una prostituta del boulevard Sébastopol y ya le habían detenido dos veces por violencia y malos tratos.

Saltaba luego unos cuantos años para reaparecer en Marsella, donde hacía la remonta para unos cuantos burdeles del Midi. Tenía veintiocho años. No era todavía exactamente un capitoste, pero ya estaba lo suficientemente bien situado en el escalafón de los bajos fondos como para no enredarse en trifulcas en los bares del Vieux Port.

Ninguna condena en esa época, sólo ciertos problemas bastante serios a propósito de una chica a la que con sólo diecisiete años colocaron en el Paradis de Béziers usando papeles falsos.

Otro hueco. Todo lo que se sabía era que se había marchado a Panamá con un cargamento de mujeres, cinco o seis, a bordo de un barco italiano, y que llegó a ser allí una especie de personaje.

A los cuarenta años estaba en París y vivía con Rosalie Dumont, a quien llamaban la Rose, ya talludita, que regentaba un salón de masajes en la rue des Martyrs. Frecuentaba mucho las carreras, los combates de boxeo, y se sospechaba que organizaba apuestas.

Finalmente se casó con la Rose, y ya juntos abrían el Picratt's, que en su origen era sólo un bar de habituales.

Janvier también estaba en la rue Notre-Dame-de-Lorette, no en el apartamento, sino interrogando aún a los vecinos, no sólo a los inquilinos del inmueble, sino a los de las tiendas de los alrededores y a todo aquel que pudiera saber algo. En cuanto a Lucas, estaba acabando él solo lo del robo en Javel, y eso le tenía de mal humor.

Eran las cinco menos diez y ya hacía bastante que había anochecido, cuando sonó el teléfono y Maigret por fin oyó que le anunciaban:

—Aquí la central de patrullas policiales.

—¿La condesa?—preguntó.

—Una condesa, por lo menos. No sé si es la suya. Acabamos de recibir una llamada de la rue Victor-Massé. La portera ha descubierto, hace pocos minutos, que habían matado a una de sus inquilinas, probablemente la noche pasada...

—¿Una condesa?

—La condesa Von Farnheim.

—¿Revólver?

—Estrangulada. No tenemos más datos hasta el momento. La policía del distrito está en el lugar de los hechos.

Instantes después, Maigret saltaba a un taxi que perdió un tiempo infinito cruzando París. Al pasar por la rue-Notre-Dame-de-Lorette, vio a Janvier saliendo de una verdulería, hizo parar el coche y le llamó:

—¡Sube! La condesa ha muerto.

—¿Una condesa de verdad?

—No tengo la menor idea. Es muy cerca de aquí. Todo está pasando en el barrio.

No había ni quinientos metros, en efecto, entre el bar de la rue Pigalle y el apartamento de Arlettte, y la misma distancia aproximadamente entre el bar y la rue Victor-Massé.

A diferencia de lo que pasó por la mañana, una veintena

de curiosos se agolpaban ante un agente a la puerta de un edificio elegante y de aspecto tranquilo.

—¿El comisario está arriba?

—No estaba en su despacho. El inspector Lognon es quien...

¡Pobre Lognon, con las ganas que él tendría de distinguirse! Cada vez que se lanzaba sobre un caso, era una especie de fatalidad, aparecía Maigret para quitárselo de las manos.

La portera no estaba en su cabina. El hueco de la escalera estaba pintado imitando mármol, y una gruesa alfombra rojo oscuro recubría los escalones, sujeta por varillas de bronce. La casa olía un poco a cerrado, como si allí sólo vivieran viejos que no abrían nunca las ventanas, y reinaba un extraño silencio; ninguna puerta se estremeció al paso del comisario y de Janvier. Sólo al llegar al cuarto piso oyeron ruido y se abrió una puerta; divisaron la larga nariz de Lognon, que estaba conversando con una mujer muy bajita y muy gorda que llevaba un moño en la coronilla.

Al entrar se hallaron en una pieza mal iluminada por una lámpara de pie rematada por una pantalla de pergamino. La sensación de asfixia era aquí mucho más fuerte que en el resto de la casa. Daba de pronto la impresión, sin saber exactamente por qué, de que quedaba muy lejos París, y el mundo, y el aire mojado del exterior, y la gente que camina por la acera, y los taxis que van tocando el claxon, y los autobuses que se precipitan a toda marcha por la calle y hacen chirriar el freno a cada parada.

El calor era tan sofocante que Maigret, inmediatamente, se quitó el abrigo.

—¿Dónde está?

—En su habitación.

La pieza en que estaban era una especie de salón, o por

lo menos un antiguo salón, y se sentía uno sumergido en un universo donde las cosas carecían ya de nombre. Si un piso lo estuvieran preparando para la venta pública, probablemente tendría aquel aspecto, con todos los muebles fuera de sitio.

Había botellas desperdigadas por todas partes, y Maigret observó que todas eran de vino tinto, litros y litros de tinto peleón como el que los peones beben a morro a la vista de todos en las obras, comiendo embutido. Y por cierto, también había embutido, no en un plato, sino en un papel grasiento, y también restos de pollo, rodaban los huesos por la alfombra.

La tal alfombra estaba raída, inimaginablemente sucia, y lo mismo cabía decir de todos los demás objetos; le faltaba una pata a una silla, a un sillón se le salía la crin, y la pantalla de pergamino, oscurecida por el prolongado uso, ya no tenía forma.

En el dormitorio, al lado, sobre una cama sin sábanas y que no se había hecho en varios días, estaba tendido un cuerpo medio desnudo, literalmente medio desnudo, con la parte de arriba más o menos cubierta con una camisola, mientras que, de la cintura para abajo, incluyendo los pies, la carne quedaba a la vista, abotagada y de un feo color blanco.

A la primera ojeada, Maigret vio las manchitas azules en los muslos y supo que iba a descubrir una jeringuilla en alguna parte; encontró dos, una con la aguja rota, encima de lo que hacía las veces de mesilla de noche.

La muerta debía de tener por lo menos sesenta años. Era difícil decirlo. Nadie había tocado aún el cadáver. El médico no había llegado aún. Pero estaba claro que llevaba muerta bastante.

En cuanto al colchón en que estaba tendida, lo habían

rajado casi de arriba abajo y le habían sacado violentamente parte de la crin.

También aquí había botellas, restos de comida, y un orinal en mitad de la habitación, con orines dentro.

—¿Vivía sola?—preguntó Maigret, volviéndose hacia la portera.

Ésta, con los labios apretados, asintió con la cabeza.

—¿Venía mucha gente a verla?

—Si hubiera venido gente a verla, probablemente habría limpiado toda esta suciedad, ¿no?

Y como si se sintiera a su vez cogida en falta, añadió:

—Es la primera vez que pongo los pies en este piso desde hace por lo menos tres años.

—¿No la dejaba entrar?

—No me apetecía a mí.

—¿No tenía sirvienta, ni una mujer que le viniera a limpiar?

—Nadie. Sólo una amiga, una chiflada como ella, que venía de vez en cuando.

—¿La conoce?

—No sé cómo se llama, pero la veo a veces por el barrio. No ha llegado aún al extremo de ésta. Al menos no la última vez que la vi, ya hace bastante.

—¿Sabía que su inquilina se drogaba?

—Sabía que estaba medio loca.

—¿Ya era usted la portera del edificio cuando alquiló el apartamento?

—No se lo habrían dado. No llevamos más que tres años en la casa, mi marido y yo, y hace más de ocho que ocupa la vivienda. Intenté de todo para que se fuera.

—¿De veras es condesa?

—Parece que sí. Por lo menos, estuvo casada con un conde, pero, antes, no debía de ser nadie importante.

—¿Tenía dinero?

—Eso parece, porque no es precisamente de hambre de lo que ha muerto.

—¿No vio a nadie subir a su casa?

—¿Cuándo?

—Anoche, o esta mañana.

—No. Su amiga no ha venido. El joven tampoco.

—¿Qué joven?

—Un jovencito educado, de aspecto enfermizo, que subía a verla y la llamaba tía.

—¿No sabe tampoco cómo se llama?

—Yo no me metía en sus asuntos. Toda la gente de la casa es tranquila. En el primero, hay unos que como quien dice no están nunca en París, y en el segundo vive un general retirado. Ya ve la clase de edificio que es. Esta mujer era tan sucia que yo me tapaba la nariz al pasar por delante de la puerta.

—¿No llamaba nunca al médico?

—¡Querrá decir que lo llamaba dos veces por semana! Cuando estaba muy borracha, de vino o de qué sé yo qué, se imaginaba que se iba a morir y telefoneaba a su médico. Él ya la conocía y no se daba mucha prisa a venir.

—¿Un médico del barrio?

—El doctor Bloch, sí, que vive tres casas más allá.

—¿Es al que llamó usted cuando descubrió el cadáver?

—No. No era de mi incumbencia. Me dirigí enseguida a la policía. Vino el inspector. Y luego usted.

—¿Quieres ver de localizar al doctor Bloch, Janvier? Pídele que venga lo antes posible.

Janvier buscó el teléfono, y por fin lo encontró en otro cuarto, más pequeño, en el suelo y en medio de revistas viejas y libros con las páginas medio arrancadas.

—¿Es fácil entrar en el edificio sin que usted lo sepa?

—Como en cualquier otra casa, ¿no?—replicó la portera, con acritud—. Yo cumplo con mi oficio como las demás,
mejor que la mayoría de las demás, y no verá una mota de
polvo en la escalera.

—¿Es la única escalera que hay?

—Hay una escalera de servicio, pero casi nadie la usa. De
todas maneras, hay que pasar por delante de la portería.

—¿Está usted siempre?

—Menos cuando voy a la compra, porque por muy portera que una sea, también come.

—¿A qué hora sale usted a la compra?

—Hacia las ocho y media, por la mañana, en cuanto pasa
el cartero y subo el correo.

—¿La condesa recibía mucho correo?

—Sólo prospectos. Comerciantes que veían su nombre
en la guía y a los que deslumbraba lo de condesa.

—¿Conocía usted al señor Oscar?

—¿Qué Oscar?

—Cualquier Oscar.

—Mi hijo se llama Oscar.

—¿Qué edad tiene?

—Diecisiete años. Está de aprendiz de carpintero en un
taller del boulevard Barbès.

—¿Vive con ustedes?

—¡Claro!

Janvier, tras colgar el teléfono, les informó:

—El doctor está en su casa. Le quedan dos pacientes por
ver y vendrá luego inmediatamente.

El inspector Lognon procuraba no tocar nada en absoluto, y hacía como que no estaba pendiente de las respuestas de la portera.

—Su inquilina ¿no recibía nunca cartas con membrete
de algún banco?

—Nunca.

—¿Salía mucho?

—Se estaba a veces sin salir sus buenos diez o doce días, y yo hasta me preguntaba si se habría muerto, porque no se la oía rechistar. Debía de estar tumbada en la cama, toda sudada y llena de mugre. Luego se vestía, se calaba un sombrero, unos guantes, y hasta la habrías tomado casi por una señora, si no fuera porque siempre tenía aquel aire de ir perdida.

—¿Estaba fuera mucho rato?

—Depende. A veces unos minutos, a veces todo el día. Volvía con un montón de paquetes. Le servían el vino por cajas. Sólo tinto del malo, lo compraba en los ultramarinos de la rue Condorcet.

—¿Al repartidor le hacía entrar?

—Él le dejaba la caja en la puerta. Yo hasta discutí con él porque no quería ir por la escalera de servicio, la encontraba muy oscura, decía que no tenía ganas de romperse la crisma.

—¿Cómo sabía que estaba muerta?

—No sabía que estaba muerta.

—Pero ¿abrió la puerta?

—No tuve que molestarme en abrirla, y no lo habría hecho.

—Explíquese.

—Éste es el cuarto piso. En el quinto vive un señor muy mayor que está impedido, y yo le hago la limpieza y le subo las comidas. Era funcionario en Hacienda. Lleva un montón de años en el piso, y su mujer murió hace seis meses. A lo mejor usted lo leyó en el periódico: la embistió un autobús cuando cruzaba la place Blanche, a las diez de la mañana, para ir al mercado de la rue Lepic.

—¿A qué hora va usted a hacerle la limpieza?

—A las diez más o menos. Y al bajar es cuando barro la escalera.

—¿La ha barrido esta mañana?

—¿Y por qué no?

—Y antes ¿ya ha subido una primera vez con el correo?

—Hasta el quinto no, porque ese señor que le digo recibe pocas cartas y no le corren mucha prisa. Los del tercero trabajan los dos fuera y salen de buena mañana, hacia las ocho y media, así que cogen las suyas en la portería al pasar.

—¿Aunque usted no esté?

—Cuando estoy en la compra también, sí. No cierro nunca con llave. Compro en las tiendas de mi calle y vengo a echar un ojo a la casa de vez en cuando. ¿Le importaría que abriera la ventana?

Todos tenían calor. Habían vuelto a la primera sala, excepto Janvier, que, al igual que por la mañana en la rue Notre-Dame-de-Lorette, estaba abriendo los cajones y los armarios.

—¿O sea que sólo sube el correo hasta el segundo?

—Sí.

—¿Y a las diez aproximadamente, subió al quinto y pasó por delante de esta puerta?

—Me di cuenta de que estaba sólo entornada. Me sorprendió un poco, pero no mucho. Al bajar, no me fijé. Y como al señor ya se lo había dejado todo a punto, no tuve que volver allá arriba hasta las cuatro, que es cuando le llevo la cena. Y al volver a bajar, vi otra vez la puerta entornada y llamé maquinalmente, a media voz: «¡Señora condesa!», porque todo el mundo la llama así. Tiene un apellido difícil de pronunciar, un apellido extranjero. Es más rápido llamarla *condesa*. No contestó nadie.

—¿Había luz en el apartamento?

—Sí. No toqué nada. Esta lámpara estaba encendida.

—¿Y la de la habitación?

—También, porque ahora está encendida y yo no le di al interruptor. No sé por qué, pero me dio mala espina. Metí un poco la cabeza por la rendija de la puerta y volví a llamarla. Luego entré, muy a mi pesar. Soy muy sensible a los malos olores. Eché un vistazo a la habitación y vi el cuadro.

»Y entonces bajé corriendo a llamar a la policía. Como el único que había en la casa era el señor mayor, fui a avisar a la portera de al lado, que es amiga mía, para no quedarme completamente sola. La gente nos preguntaba que qué pasaba. Éramos ya unos cuantos en la puerta cuando llegó este inspector.

—Gracias, ya puede retirarse. ¿Cómo se llama usted?

—Señora Aubain.

—Puede retirarse, señora Aubain. Si quiere puede volver a la portería. Oigo pasos y debe de ser el doctor.

Aún no era el doctor Bloch, sino el médico del registro, el mismo que había hecho las comprobaciones aquella mañana en casa de Arlette.

Cuando llegó al umbral del dormitorio, después de darle la mano al comisario y dirigirle un signo vagamente condescendiente a Lognon, no pudo por menos que exclamar:

—¡Otra vez!

Las marcas en cuello no dejaban lugar a dudas sobre cómo habían matado a la condesa. Los puntos azules de los muslos tampoco la dejaban sobre su grado de intoxicación. Olió una de las jeringuillas, y se encogió de hombros.

—¡Morfina, está bien claro!

—¿La conocía?·

—No la había visto en mi vida. Pero conozco a otras como ella en el barrio. ¡Vaya! ¿Al parecer lo han hecho para robarle?

Señalaba la raja en el colchón, y la crin que le habían sacado.

—¿Es que era rica?

—No tengo ni idea—contestó Maigret.

Janvier, que con la punta de su cortaplumas hurgaba hacía rato en la cerradura de un mueble, proclamó:

—Aquí hay un cajón lleno de papeles.

Alguien joven subía muy deprisa la escalera. Era el doctor Bloch.

Maigret observó que el médico del registro se limitaba a hacerle un gesto bastante seco con la cabeza a modo de saludo y evitaba darle la mano como a un colega.

El doctor Bloch tenía demasiado mate la piel, los ojos demasiado brillantes y el cabello negro y aceitoso. No debía de haberse parado a escuchar a los mirones en la calle, ni siquiera a hablar con la portera. Janvier, por teléfono, no le había dicho que la condesa había sido asesinada, sino que había muerto y que el comisario deseaba hablar con él.

Tras subir los escalones de cuatro en cuatro, se quedó mirando a su alrededor, inquieto. ¿Quizá antes de salir de su consulta se había metido una jeringuilla? No pareció sorprendido de que su colega no le diera la mano y no insistió. Su actitud era la de quien ya está acostumbrado a complicaciones.

Pero en cuanto franqueó el umbral de la puerta del dormitorio, se le vio aliviado. La condesa había sido estrangulada. Aquello ya no le incumbía.

Y entonces le bastó medio minuto para recuperar su presencia de espíritu, a la vez que una expresión como desdeñosa y desabrida.

—¿Por qué me han hecho venir a mí en vez de otro médico?—empezó por preguntar, como para tantear el terreno.

—Porque la portera nos informó de que usted era el médico de esta mujer.

—Sólo la visité unas cuantas veces.

—¿Para qué tipo de enfermedad?

Bloch se volvió hacia su colega, como para decir que aquél sabía lo mismo que él.

—Supongo que se han dado cuenta de que se trata de una toxicómana. Cuando se pasaba con las drogas, tenía accesos de depresión, como pasa con frecuencia, y, presa de pánico, me hacía llamar. Tenía mucho miedo a morir.

—¿Hace mucho que la conocía?

—Me establecí en el barrio hace tan sólo tres años.

No debía de tener mucho más de treinta. Maigret habría jurado que era soltero y que era también él adicto a la morfina desde que empezó a ejercer, quizá incluso desde la Facultad de Medicina. No debió de elegir Montmartre por casualidad, y no costaba mucho imaginar en qué ambientes reclutaba a su clientela.

No llegaría lejos, eso era evidente. Él también era ya presa fácil para el gato.

—¿Qué sabe usted de ella?

—El nombre y la dirección, que figuran en mi ficha. Y que se droga desde hace quince años.

—¿Qué edad tenía?

—Cuarenta y ocho o cuarenta y nueve años.

Costaba trabajo creerlo viendo el cuerpo descarnado tendido de través en la cama, con aquel cabello ralo y descolorido.

—¿No resulta raro ver a una morfinómana darse al mismo tiempo a la bebida?

—A veces pasa.

Le temblaban levemente las manos, como a los borrachos por la mañana, y un tic le estiraba a veces los labios en un solo lado de la cara.

—Supongo que intentaría usted desintoxicarla…

—Al principio, sí. Casi era un caso desesperado. No conseguí nada. Pasaba semanas y semanas sin llamarme.

—¿No le hacía venir alguna vez por haberse quedado sin droga y que la necesitara a toda costa?

Bloch miró brevemente a su colega. No valía la pena mentir. Todo aquello estaba claramente escrito sobre el cadáver y en el apartamento.

—Supongo que no hace falta que les dé una clase. Llega un momento en que un drogadicto no puede en absoluto prescindir, sin correr un serio peligro, de su dosis de droga. Ignoro dónde se procuraba ella la suya. No se lo pregunté. En dos ocasiones, creo, al llegar la encontré como alucinada, porque no le habían traído lo que estaba esperando, y le puse una inyección.

—¿Nunca le contó nada de su vida, de su familia, de sus orígenes?

—Sólo sé que estuvo casada con un tal conde Von Farnheim, que tengo entendido que era austríaco y mucho mayor que ella. Vivió con él en la Costa Azul, en una gran propiedad a la que en alguna ocasión aludía.

—Una pregunta más, doctor: ¿le abonaba sus honorarios con un cheque?

—No. En efectivo.

—Supongo que no sabe nada de sus amigos, de sus relaciones ni de sus proveedores, ¿no?

—Nada en absoluto.

Maigret no insistió.

—Gracias. Puede retirarse cuando guste.

Como de costumbre, no le apetecía estar presente cuando llegaran los del ministerio público, ni sobre todo contestar a los periodistas, que no tardarían en acudir, y no veía el momento de escapar de aquella atmósfera sofocante y deprimente.

Le dejó unas instrucciones a Janvier, y se hizo llevar al quai des Orfèvres, donde le esperaba un mensaje del doctor Paul, el médico forense, rogándole que le llamara.

—Estoy redactando mi informe y lo tendrá mañana por la mañana—le dijo el médico de hermosa barba, que tenía que hacer otra autopsia aquella noche—. Quería hacerle notar dos detalles, porque quizá sean de importancia en su investigación. En primer lugar, con toda probabilidad, la chica no tiene los veinticuatro años que le atribuye su ficha. En términos médicos, tiene apenas veinte.

—¿Está seguro?

—Prácticamente seguro. Y, además, tuvo un hijo. Es todo lo que sé. En cuanto al crimen, fue obra de alguien de un vigor extraordinario.

—¿No podría ser obra de una mujer?

—No lo creo, a menos que sea tan fuerte como un hombre.

—¿No le han dicho aún nada del segundo crimen? Seguramente le llamarán para la rue Victor-Massé.

El doctor Paul dijo algo entre dientes sobre una cena que tenía en el centro, y los dos hombres colgaron.

Los periódicos de la tarde habían publicado la fotografía de Arlette, y, como de costumbre, habían empezado a sonar los teléfonos. Dos o tres personas estaban esperando en la antesala. Ya había un inspector con ellas, y Maigret se fue a cenar a su casa, aunque su mujer, que había leído el periódico, no esperaba verle.

Seguía lloviendo. Llevaba la ropa mojada y se cambió.

—¿Vas a salir?

—Estaré probablemente fuera parte de la noche.

—¿Han encontrado a la condesa?

Los periódicos aún no hablaban de la muerta de la rue Victor-Massé.

—Sí. Estrangulada.

—No cojas frío. Han dicho por la radio que va a helar y que mañana por la mañana es probable que haya escarcha.

Se tomó una copita de licor y se fue hasta la place de la République para respirar aire fresco.

Su primera intención había sido dejar al joven Lapointe ocuparse de Arlette, pero cuando lo pensó mejor, le pareció cruel encargarle aquel trabajo de modo especial y finalmente se lo pasó a Janvier.

Y éste debía de estar en ello. Foto de la bailarina en mano, iba de *meublé* en *meublé* por Montmartre, metiéndose sobre todo en esos hoteluchos cuya especialidad es alquilar habitaciones por horas.

Fred, el del Picratt's, le había dado a entender que Arlette, a veces, también se iba como las otras con algún cliente después del cierre. No se los llevaba a su casa, la portera de la rue Notre-Dame-de-Lorette se lo aseguró. No debía de ir muy lejos. Y quién sabe si, caso de tener un amante habitual, no iría a verse con él en un hotel.

De paso, Janvier tenía que preguntar en todos si conocían a un tal Oscar, de quien no sabían aún nada, y cuyo nombre pronunció sólo una vez la joven. ¿Por qué pareció arrepentirse luego y se mostró mucho menos explícita?

A falta de personal disponible, Maigret había dejado al inspector Lognon en la rue Victor-Massé, donde los del registro judicial debían de haber terminado su trabajo y los del ministerio público probablemente habrían llegado mientras él cenaba.

Cuando llegó al quai des Orfèvres, la mayoría de los despachos estaban ya a oscuras, y encontró a Lapointe en la sala común de los inspectores, absorto en los papeles incautados en el cajón de la condesa. Le habían dado como tarea proceder a su escrutinio.

—¿Has encontrado algo, hijo?

—No he terminado aún. Está todo liado y no hay modo de aclararse. Además, lo voy verificando sobre la marcha. He hecho ya unas cuantas llamadas. Estoy esperando respuesta, entre otras, de la brigada móvil de Niza.

Y le mostró una postal en la que se veía una amplia y lujosa propiedad que dominaba la bahía Des Anges. La mansión, de pésimo estilo oriental, con minarete y todo, estaba rodeada de palmeras y su nombre figuraba impreso en una esquina: El Oasis.

—Según estos papeles—explicó—, ahí es donde vivía con su marido hace quince años.

—Tenía pues entonces menos de treinta y cinco.

—Ésta es una fotografía de ella y el conde en aquella época.

Era una foto de aficionado. Estaban ambos de pie ante la puerta de la villa y la mujer tenía sujetos por la correa dos inmensos lebreles rusos.

El conde Von Farnheim era un hombrecillo enjuto, con perilla blanca, y llevaba monóculo. Su acompañante era una hermosa criatura entrada en carnes al paso de la cual seguro que los hombres se volvían.

—¿Sabes dónde se casaron?

—En Capri, tres años antes de hacerse esta foto.

—¿Qué edad tenía el conde?

—Sesenta y cinco años en el momento de casarse. Sólo estuvieron casados tres años. Compró El Oasis a la vuelta de Italia.

En aquellos papeles había de todo, facturas amarillentas, pasaportes llenos de visados, tarjetas del casino de Niza y del casino de Cannes, y hasta un paquete de cartas que Lapointe aún no había tenido tiempo de descifrar. La letra era picuda, con algunos caracteres alemanes, y en la firma podía leerse «Hans».

—¿Sabes su nombre de soltera?

—Madeleine Lalande. Nació en La Roche-sur-Yon, en la Vendée, y durante algún tiempo fue una de las figurantes del Casino de París.

Lapointe consideraba su tarea poco más o menos un castigo.

—¿No se sabe nada todavía?—preguntó tras una pausa. Era a todas luces evidente que se refería a Arlette.

—Janvier es quien se ocupa. Yo también voy a ocuparme ahora de eso.

—¿Va al Picratt's?

Maigret asintió con la cabeza. En su despacho, al lado, encontró al inspector que atendía el teléfono y las visitas referentes a la identificación de la bailarina.

—Nada todavía digno de tomarse en serio. He acompañado a una anciana, que parecía muy segura, al Instituto Médico Forense. Juraba, incluso ante el cadáver, que era su hija, pero el empleado del depósito ya la ha visto más veces. Es una loca. Lleva más de diez años asegurando que reconoce a todos los cadáveres de mujer que desfilan por allí.

Por una vez, el parte meteorológico debió de acertar, porque, cuando Maigret se vio otra vez fuera, hacía más frío, un frío invernal, y se subió el cuello del abrigo. Llegó a Montmartre demasiado pronto. Era una chispa más de las once, y la vida nocturna no había dado comienzo, la gente estaba aún encajada codo con codo en las butacas de los teatros y los cines, los cabarets empezaban apenas a encender sus rótulos de neón, y los porteros con librea aún no estaban en su puesto.

Entró primero al bar-tabac de la esquina de la rue Douai, donde había estado montones de veces y le reconocieron. El dueño acababa de incorporarse al trabajo, porque él también era un noctámbulo. De día atendía el bar su mujer con un equipo de camareros, y por la noche la relevaba él, o sea que se veían sólo en ese momento.

—¿Qué le pongo, comisario?

Maigret advirtió al instante la presencia de un personaje que el propietario parecía indicarle de reojo, y que era evidentemente el Saltamontes. De pie, apenas si llegaba a la barra, donde estaba tomándose una menta con agua. Él también había reconocido al comisario, pero fingía estar enfrascado en el periódico de carreras en el que iba haciendo anotaciones a lápiz.

Habría podido pasar por un jockey, porque debía de pesar lo mismo. Resultaba violento, al mirarlo de cerca, descubrir encima de aquel cuerpo de niño un rostro arrugado, de tez grisácea y sin brillo, y cuyos ojos extremadamente vivos y en incesante movimiento parecían verlo todo, como los de algunos animales siempre alerta.

No llevaba uniforme, sino un traje que en él parecía de primera comunión.

—¿Era usted quien estaba aquí ayer hacia las cuatro de la madrugada?—le preguntó Maigret al dueño tras pedirle una copa de calvados.

—Como cada noche. Y la vi. Estoy al corriente. He leído el periódico.

Con gente como él, resultaba fácil. Algunos músicos se estaban tomando un café con leche antes de entrar al trabajo. Había también dos o tres indeseables que el comisario conocía y que ponían cara de inocente.

—¿Cómo estaba?

—Como siempre a esas horas.

—¿Venía todas las noches?

—No. De vez en cuando. Cuando creía que le faltaba aún una copa. Se tomaba una o dos, de algo fuerte, y no se quedaba mucho.

—¿Anoche tampoco?

—Parecía bastante inquieta, pero no me dijo nada. Creo que no habló con nadie, sólo pidió la consumición.

—¿No había, en el bar, un hombre de cierta edad, bajo y fornido, de pelo gris?

Maigret había evitado hablar de Oscar ante los periodistas y por eso la prensa no lo mencionaba. Pero le había preguntado a Fred al respecto. Y a lo mejor Fred le había repetido sus palabras al Saltamontes, y éste...

—No vi a nadie con ese aspecto—contestó el dueño, quizá con una seguridad excesiva.

—¿Conoce usted a un tal Oscar?

—Debe de haber cientos de Oscar en el barrio, pero no recuerdo ninguno que responda a esas señas.

A Maigret le bastaron dos pasos para llegar al lado del Saltamontes.

—¿No tienes nada que decirme?

—Nada de particular, comisario.

—¿Tú anoche no te moviste de la puerta del Picratt's?

—Apenas. Sólo subí un par de veces o tres un trozo de la rue Pigalle repartiendo anuncios. Y también vine aquí, a buscar cigarrillos para un americano.

—¿No conoces a Oscar?

—En la vida he oído hablar de él.

No era de los que se dejan impresionar por la policía ni por nadie. Seguramente lo hacía exprés, para divertir a los clientes, pero el caso es que adoptaba un acento marcadamente achulado y afectaba un aire infantil.

—¿Tampoco conocías al amigo de Arlette?

—¿Tenía un amigo? La primera noticia.

—¿No viste nunca a nadie esperándola a la salida?

—Alguna vez. Clientes.

—¿Se iba con ellos?

—No siempre. A veces le costaba deshacerse de ellos y no le quedaba más remedio que venir aquí para despistarlos.

El dueño, que escuchaba descaradamente, asintió con la cabeza.

71

—¿No te la encontraste alguna vez de día?

—Por la mañana, duermo, y por la tarde, voy a las carreras.

—¿No tenía amigas?

—Betty y ella eran colegas, y también Tania. No mucho. Creo que Tania y ella no se llevaban demasiado bien.

—¿No te pidió nunca que le procuraras droga?

—¿Para qué iba a quererla?

—Para ella.

—Desde luego que no. Le gustaba tomarse una copa, y hasta dos o tres, pero no creo que se haya drogado nunca.

—En resumidas cuentas, que tú no sabes nada.

—Salvo que era la chica más guapa que he visto en mi vida.

Maigret dudó, mirando a su pesar a aquel engendro de pies a cabeza.

—¿Te la tiraste?

—¿Y por qué no? Me he tirado a otras, y no sólo chavalas de la calle, sino clientas de postín.

—Así es—intervino el dueño—. No sé lo que les da, pero van como locas detrás de él. Sé de algunas, y no precisamente viejas ni feas, que hacia el amanecer, venían aquí a esperarle una hora o más.

Como si fuera de goma, la ancha boca del gnomo se dilataba en una sonrisa extasiada y sardónica.

—Seguro que les doy buenas razones—exclamó haciendo un ademán obsceno.

—¿Te acostaste con Arlette?

—Como se lo digo.

—¿A menudo?

—Por lo menos una vez.

—¿Fue ella quien te lo propuso?

—Vio que yo tenía ganas.

—¿Dónde lo hicisteis?

—No en el Picratt's, desde luego. ¿Conoce usted el Moderne, en la rue Blanche?

Era un hotel de citas muy conocido por la policía.

—¡Pues sí! Fue allí.

—¿Tenía temperamento?

—Sabía todos los trucos.

—¿Sentía placer?

El Saltamontes se encogió de hombros.

—Aunque no lo sientan, las mujeres siempre lo fingen, y cuanto menos lo sienten, más se creen en la obligación de exagerarlo.

—¿Estaba borracha, aquella noche?

—Estaba como siempre.

—¿Y con el dueño?

—¿Con Fred? ¿Se lo ha contado él?

Se quedó pensando un momento y apuró solemnemente su copa.

—Eso a mí no me incumbe—dijo finalmente.

—¿Tú crees que él estaba loco por ella?

—Todo el mundo estaba loco por ella.

—¿Tú también?

—Ya le he dicho todo lo que tenía que decir. Ahora, si se emperra—añadió, socarrón—, sólo me queda dibujárselo. ¿Va usted para el Picratt's?

Maigret sí que iba para allá, pero no esperó al Saltamontes, que no tardaría en incorporarse a su puesto. Estaba encendido el letrero rojo. Aún no habían retirado de la fachada las fotografías de Arlette. Había una cortina en la ventana y ante los cristales de la puerta. No se oía música.

Al entrar lo primero que vio fue a Fred, de smoking, colocando botellas detrás de la barra.

—Ya me imaginaba que vendría—dijo—. ¿Es verdad que han encontrado a una condesa estrangulada?

No era de extrañar que lo supiera, porque había sido en el barrio. A lo mejor también por la radio habían dado la noticia.

Dos músicos, uno muy joven, con el cabello engominado, y un hombre de unos cuarenta años de aspecto triste y enfermizo, estaban templando sus instrumentos en el estrado. Un camarero terminaba de disponer todo en orden. No se veía a la Rose, que debía de estar en la cocina o que quizá no había bajado aún.

Las paredes estaban pintadas de rojo, la iluminación era de un rosa subido y, en medio de aquella luz, tanto los objetos como las personas perdían parte de su realidad. Daba la impresión—al menos a Maigret le dio esa impresión—, de que uno estaba en la cámara oscura de un fotógrafo. Hacían falta unos instantes para acostumbrarse. Los ojos parecían más oscuros, más brillantes, mientras que el contorno de los labios desaparecía, comido por la luz.

—Si va a quedarse, dele el sombrero y el abrigo a mi mujer. Está allí al fondo. ¡Rose!—la llamó.

Ella salió de la cocina: llevaba un vestido de raso negro sobre el que se había puesto un delantalito bordado. Se llevó el abrigo y el sombrero.

—Supongo que no querrá sentarse enseguida, ¿no?

—¿Las chicas han llegado?

—Ahora bajarán. Se están cambiando. No hay camerinos, y usan nuestra habitación y nuestro cuarto de baño. Mire, he pensado bastante en lo que me estuvo preguntando esta mañana. Lo hemos hablado la Rose y yo. Y los dos estamos convencidos de que no fue oyendo hablar a unos clientes como Arlette se enteró. Ven aquí, Désiré.

El tal Désiré era calvo, con sólo una coronilla de cabello en torno a la cabeza, y se parecía al camarero de los carteles de una gran marca de aperitivos. Debía de saberlo, cultivaba el parecido, y hasta se había dejado unas patillas iguales.

—Puedes hablarle con franqueza al comisario. ¿Tú serviste anoche a unos clientes en la 4?

—No, señor.

—¿No viste a dos hombres juntos, que parece estuvieron un buen rato, uno de los cuales era bajo y de mediana edad?

Fred añadió, tras una breve mirada a Maigret:

—¿Como yo más o menos?

—No, señor.

—¿Con quién estuvo Arlette hablando?

—Se quedó bastante rato con su chico. Luego se tomó unas copas en la mesa de los americanos. Y eso es todo. Al final, se sentaron ella y Betty en una mesa y me pidieron un coñac. Está cargado en su cuenta. Puede comprobarlo. Se tomó dos copas.

Una mujer morena salía en aquel momento de la cocina, y, tras echar un vistazo profesional a la sala vacía, donde el único que no pertenecía a la casa era Maigret, se dirigió lentamente hacia el estrado, se sentó ante el piano, y se puso a hablar en voz baja con los dos músicos. Los tres se quedaron entonces mirando en dirección al comisario. Luego ella dio el tono a sus compañeros. El hombre más joven le arrancó unas cuantas notas a su saxofón, el otro se instaló ante la batería, e instantes después estallaba un ritmo de jazz.

—La gente que viene aquí necesita oír música—explicó Fred—. Probablemente no vendrá aún nadie antes de su buena media hora, pero un cliente, al llegar, no puede encontrar la boîte en silencio, ni al personal inmóvil como en un museo de cera. ¿Qué quiere usted tomar? Si va a sentarse, preferiría que fuera una botella de champán.

—Mejor una copa de brandy.

75

—Le serviré brandy y pondré el champán al lado. En principio, sobre todo cuando la noche empieza, sólo servimos champán, ¿comprende?

Ejercía su oficio con visible satisfacción, como si allí realizara el sueño de su vida. Estaba pendiente de todo. Su mujer había ocupado ya su sitio en una silla al fondo de la sala, detrás de los músicos, y también parecía complacida. Sin duda debieron ambos de soñar mucho tiempo establecerse por su cuenta, y seguía siendo para ellos una especie de juego.

—Mire, voy a instalarle en la 6, donde estaban Arlette y su enamorado. Si quiere hablar con Tania, espere a que ataquen una java. En ese momento, Jean-Jean coge su acordeón y ella puede soltar el piano. Antes, teníamos una pianista. Y luego, cuando la contratamos a ella y me enteré de que tocaba, pensé que sería un buen ahorro colocarla en la orquesta. Veo que baja ya Betty. ¿Se la presento?

Maigret había tomado asiento en el box, como un cliente más, y Fred le trajo a una joven pelirroja que llevaba un traje de lentejuelas con reflejos azules.

—El comisario Maigret, que se encarga de la muerte de Arlette. No tienes por qué tenerle miedo. Es buena gente.

Probablemente habría sido bonita si no se la sintiera dura y musculosa como un hombre. Podría incluso tomársela por un travesti adolescente, y resultaba violento. Incluso la voz, baja y algo ronca.

—¿Quiere que me siente con usted?

—Si es tan amable. ¿Quiere tomar algo?

—Casi que no, en este momento. Désiré me pondrá una copa delante. Con eso basta.

Parecía harta, preocupada. Se hacía difícil creer que estaba allí para excitar a los hombres, y ella no debía de hacerse demasiadas ilusiones.

—¿Es usted belga?—le preguntó él, por el acento.

—Soy de Anderlecht, cerca de Bruselas. Antes de venir, formaba parte de una troupe de acróbatas. Empecé muy joven, mi padre trabajaba en un circo.

—¿Cuántos años tiene?

—Veintiocho. Estoy ya poco ágil para seguir en mi oficio, y empecé a actuar como bailarina.

—¿Está casada?

—Lo estuve, con un malabarista que me dejó plantada.

—¿Fue con usted con quien Arlette salió anoche?

—Como todas las noches. Tania vive hacia la Gare Saint-Lazare y baja por la rue Pigalle. Siempre está lista antes que nosotras. Yo vivo a dos pasos, y Arlette y yo solíamos separarnos en la esquina de la rue Notre-Dame-de-Lorette.

—¿Ella no se fue directamente a casa?

—No. A veces no se iba directamente. Hacía como que doblaba a la derecha, y luego, en cuanto me perdía de vista, la oía subir otra vez la calle para irse a tomar una copa en el bar-tabac de la rue Douai.

—¿Por qué lo ocultaba?

—A la gente que bebe, por lo general, no les gusta que los vean buscar desesperados una última copa.

—¿Bebía mucho?

—Se tomó dos copas de coñac antes de salir, conmigo, y ya había bebido cantidad de champán. Y estoy segura incluso de que ya había bebido antes de venir.

—¿Tenía penas que olvidar?

—Si las tenía, no me las confió. Creo más bien que estaba asqueada de sí misma.

Quizá Betty estuviera también algo asqueada de sí misma, porque lo dijo con una voz triste, monótona, indiferente.

—¿Qué sabe usted de ella?

Acababan de entrar dos clientes, un hombre y una mujer, a quien Désiré intentaba llevar a una mesa. Ante la sala vacía, ellos dudaban, consultándose con los ojos. El hombre finalmente dijo, incómodo:

—Ya volveremos…

—Unos que se han equivocado de piso—observó con calma Betty—. No somos su tipo. —Intentaba sonreír.

—Aún queda su buena media hora hasta que esto arranque. A veces, empezamos los números con sólo tres clientes como espectadores.

—¿Por qué eligió Arlette este oficio?

Le miró detenidamente, y murmuró.

—Yo se lo pregunté muchas veces. No tengo ni idea. ¿A lo mejor le gustaba esto?

Lanzó una mirada a las fotografías de las paredes.

—¿Sabe en qué consistía su número? Quizá no haya nadie como ella que pueda hacerlo igual de bien. Parece fácil. Todas lo hemos probado. Y puedo asegurarle que es tremendamente complicado. Porque, si se hace de cualquier modo, resulta enseguida indecente. Hay que dar la impresión de que se hace realmente por gusto.

—¿Arlette daba esa impresión?

—¡Yo a veces me lo preguntaba, si no lo haría por eso! No digo que por ansia de hombres. Es muy posible que no. Sino que tenía necesidad de excitarlos, de hacerles contener la respiración. Cuando ya había terminado y volvía a la cocina (es lo que hace las veces de bastidores, porque por ahí pasamos para ir arriba a cambiarnos), cuando ya había terminado, digo, entreabría la puerta para ver qué efecto había causado, como los actores que miran por el agujero del telón.

—¿No estaba enamorada de nadie?

Guardó un largo silencio.

—Tal vez—dijo finalmente—. Ayer por la mañana, le habría contestado que no. Anoche, cuando su chico se fue, parecía nerviosa. Me dijo que la verdad es que era tonta. Le pregunté por qué. Y me contestó que sólo dependía de ella que todo cambiara. «¿El qué?», le pregunté. «¡Esto! ¡Estoy harta!». «¿Quieres dejar la boîte?». Hablábamos en voz baja, por Fred, que podía oírnos. Y replicó: «¡No es sólo la boîte!». Había bebido mucho, ya lo sé, pero estoy convencida de que lo decía por algo. «¿Te ha propuesto retirarte?». Se encogió de hombros y dejó el tema. «De todas maneras no lo ibas a entender». Casi nos peleamos, y le solté que no era tan idiota como ella creía, que también yo he pasado por eso.

Esta vez eran unos clientes serios los que el Saltamontes estaba introduciendo triunfalmente. Eran tres hombres y una mujer. Los hombres eran a todas luces extranjeros, gente que debía de haber venido a París por negocios o para un congreso, porque tenían aire importante. En cuanto a la mujer, Dios sabe dónde la habrían recogido, probablemente en la terraza de un café, y se la veía algo incómoda.

Guiñándole un ojo a Maigret, Fred los instaló en la 4 y les dio una carta inmensa en la que se enumeraban todas las clases de champán imaginables. No debían de tener ni la cuarta parte en la bodega, y Fred empezó a aconsejarles, señalando una marca perfectamente desconocida en la que debía de llevar el trescientos por ciento de comisión.

—Voy a tener que darme prisa para mi número—suspiró Betty—. No espere nada de particular, pero a este público siempre le parece bien. ¡Lo único que piden es ver muslos!

Estaba ya sonando una java y Maigret le hizo una seña a Tania, que había bajado del estrado, para que viniera a sentarse con él. Con la mirada, Fred por su parte le aconsejó ir.

—¿Desea hablar conmigo?

Pese al nombre, no tenía el menor acento ruso, y le hizo saber al comisario que había nacido en la rue Mouffetard.

—Siéntese y dígame lo que sepa de Arlette.

—No éramos amigas.

—¿Por qué?

—Porque no me gustaban sus modales.

La primera en la frente. No se tenía en poco, que digamos, y Maigret no la impresionaba lo más mínimo.

—¿Tuvieron algún altercado?

—No hizo falta.

—¿No hablaban alguna vez?

—Lo menos posible. Ella estaba celosa.

—¿De qué?

—De mí. Se le hacía inconcebible que otra fuera interesante. No existía más que ella en el mundo. Y a mí eso no me gusta. Ni siquiera sabía bailar, no había ido nunca a una academia. Lo único que sabía hacer era desnudarse, y si no fuera porque lo enseñaba todo, ni número hubiera habido.

—¿Usted es bailarina?

—A los doce años, yo ya hacía un curso de ballet clásico.

—¿Es lo que baila aquí?

—No. Aquí hago bailes rusos.

—¿Arlette tenía un amante?

—Seguro, pero debía de tener sus buenas razones para no estar orgullosa. Por eso no hablaba nunca de él. Todo lo que puedo decir es que era un viejo.

—¿Cómo lo sabe?

—Nos cambiamos juntas, allí arriba. Le vi cardenales por el cuerpo varias veces. Intentaba disimularlos con una capa de crema, pero yo tengo buena vista.

—¿Se lo dijo a ella?

—Una vez. Me contestó que se había caído por la escalera. No iba a caerse todas las semanas por la escalera. Tal como estaban repartidos los cardenales, a mí no me la daba. Sólo los viejos tienen vicios así.

—¿Cuándo se dio cuenta por primera vez?

—Hará sus buenos seis meses, casi enseguida de debutar aquí.

—¿Y la cosa siguió?

—No la miraba todas las noches, pero sí que le vi bastantes veces moratones. ¿Tiene algo más que decirme? Tengo que ponerme al piano.

Apenas estuvo instalada ante él, cuando ya se apagaban las luces y un foco iluminaba la pista, donde entraba airosa Betty Bruce. Maigret oía unas voces, detrás de él, voces de hombres que intentaban expresarse en francés, y una voz de mujer que les decía cómo debía pronunciarse correctamente: «¿Quiere acostarse conmigo?».

Se reían, y lo intentaban uno tras otro:

—¿Quere cost…?

Sin decir palabra, Fred, cuyo plastrón de la camisa resaltaba en la oscuridad, vino a sentarse frente al comisario. Más o menos cadenciosamente, Betty Bruce levantaba una pierna, perfectamente recta, hasta más arriba de la cabeza, daba saltitos sobre la otra, con el maillot bien estirado y una crispada sonrisa en los labios, y luego volvía a caer haciendo el *grand écart*.

V

Cuando su mujer le despertó trayéndole su taza de café, la primera sensación de Maigret fue que no había dormido bastante y que le dolía la cabeza, luego abrió de par en par los ojos y se preguntó por qué la señora Maigret tenía un aire tan pimpante, como dispuesta a darle una grata sorpresa.

—¡Mira!—dijo en cuanto él cogió la taza con dedos poco firmes aún.

Ella tiró del cordón de las cortinas y él vio que estaba nevando.

—¿No te alegras?

Sí que se alegraba, pero tenía la boca pastosa y eso era señal de que había bebido demasiado sin darse cuenta. Seguramente fue porque Désiré, el camarero, habría descorchado la botella de champán que sólo estaba allí, en principio, por pura apariencia, y maquinalmente, Maigret se iba sirviendo entre copa y copa de brandy.

—No sé si cuajará, pero por lo menos es más bonito que la lluvia.

En el fondo, a Maigret le importaba bien poco que fuera bonito o no. A él cualquier tiempo le parecía bien. Sobre todo los tiempos extremos, los que salen en los periódicos al día siguiente, los diluvios, los tornados, los fríos tremendos o los calores tórridos. La nieve también le gustaba, porque le recordaba su infancia, pero se preguntaba cómo podía encontrarla bonita su mujer en París, aquella mañana sobre todo. El cielo era más plomizo aún que la víspera, y el blanco de los copos hacía más negro el negro de los tejados relucientes, y resaltaba los colores tristes y sucios de las casas, la dudosa limpieza de los visillos en casi todas las ventanas.

No consiguió fácilmente ordenar, mientras desayunaba, y luego vistiéndose, sus pensamientos de la víspera. Había dormido muy poco. Al salir del Picratt's, cuando cerraron, eran más de las cuatro y media de la madrugada, y creyó necesario hacer como Arlette e ir a tomarse una última copa al bar-tabac de la rue de Douai.

Le costaría trabajo resumir en pocas líneas la cantidad de cosas de las que se había enterado allí. Se había pasado la mayor parte del tiempo solo en su box, fumando su pipa a pequeñas bocanadas, contemplando la pista, o a los clientes, en medio de aquella extraña luz que te transporta fuera de la vida real.

La verdad es que habría podido irse antes. Se hizo el remolón por pereza, y también porque había algo en la atmósfera que le retenía, y porque le divertía observar a la gente, las maniobras del dueño, de Rose, de las chicas.

Aquél era un pequeño mundo que ignoraba, por así decirlo, la vida normal de todo el mundo. Tanto Désiré como los dos músicos o los demás se iban a dormir cuando en las casas empezaban a sonar los despertadores, y se pasaban la mayor parte del día en la cama. Arlette vivía así, no empezaba a despertarse de veras más que a la luz rojiza del Picratt's, y no veía apenas más gente que esos hombres ya muy bebidos que el Saltamontes reclutaba a la salida de otras boîtes.

Maigret fue testigo de los manejos de Betty, que, consciente de que la observaba, parecía desplegar sus habilidades expresamente en su honor, dirigiéndole de vez en cuando un guiño cómplice.

Llegaron dos clientes, hacia las tres de la madrugada, cuando ya había terminado su número y subido a cambiarse. Iban ya seriamente achispados, y como la boîte, en aquel momento, estaba demasiado tranquila, Fred se encaminó a la cocina. Debió de subir a decirle a Betty que volviera a bajar enseguida.

Ella reinició su danza, pero esta vez sólo para los dos hombres, y hasta fue a levantarles la pierna ante las narices, y terminó con un beso en la calva de uno de ellos. Antes de ir a cambiarse, se sentó en las rodillas del otro, y bebió un sorbo de champán en su copa.

¿Sería también así como Arlette procedía? ¿O más sutilmente, con toda probabilidad?

Hablaban un poco de francés, muy poco. Elle les repetía:

—Cinco minutos… Cinco minutos… Yo volver…

Mostraba cinco dedos, y se la vio en efecto volver a los pocos instantes, con su traje de lentejuelas, y sin más, llamar a Désiré para hacerle servir otra botella.

Tania, por su parte, estaba ocupada con un cliente solitario que tenía el vino triste y que, sujetándole una rodilla desnuda, debía de estar desgranando confidencias sobre su vida conyugal.

Las manos de los dos holandeses cambiaban de sitio, pero siempre era alguna parte del cuerpo de Betty. Se oían sus risotadas, se iban poniendo cada vez más colorados y las botellas se sucedían sobre la mesa, hasta que una vez vacías las ponían debajo. Y al final Maigret comprendió que, de esas botellas vacías, algunas nunca fueron servidas llenas. Ahí estaba el truco. A Fred se le notaba en los ojos.

Llegó un momento en que Maigret fue a los lavabos. Había delante una salita con peines, cepillos, polvos de arroz y productos de maquillaje dispuestos sobre una repisa, y la Rose entró en pos de él.

—Se me acaba de ocurrir un detalle que podría serle útil —dijo—. Precisamente al verle entrar aquí. Porque aquí es donde las chicas, a veces, mientras se componen, me cuentan sus cosas. Arlette no hablaba mucho, pero sí que me dijo algunas cosas y yo intuía otras.

Le alargaba el jabón, y una toalla limpia.

—Estaba claro que no venía del mismo mundo que nosotros. No me contó nada de su familia ni creo que se lo contara a nadie, pero varias veces mencionó el convento en que se había criado.

—¿Recuerda sus palabras?

—Cuando alguien le hablaba de una mujer dura, mala, sobre todo de ciertas mujeres que parecen buenas y te apuñalan por la espalda, decía por lo bajo (y se le notaba que le dolía aún el recuerdo): «Como la madre Eudice». Le pregunté quién era y me contestó que era el ser que más odiaba en el mundo y que más daño le había hecho. Era la superiora del convento, y le había cogido tirria a Arlette. Y recuerdo otra frase: «Me habría vuelto mala sólo por hacerla rabiar».

—¿No precisó de qué convento se trataba?

—No, pero no debe de estar lejos del mar, porque a veces hablaba del mar como quien ha pasado allí la infancia.

Tenía gracia. Durante su conversación, la Rose trataba a Maigret como a un cliente, le cepillaba maquinalmente los hombros y la espalda.

—También creo que aborrecía a su madre. No quedaba muy claro. Son cosas que notamos las mujeres. Una noche, había aquí gente bien que hacían el tour de los antros de postín, y sobre todo la mujer de un ministro que de veras tenía aspecto de gran señora. Parecía triste, preocupada, no se interesaba por el espectáculo, apenas si se llevaba la copa a los labios, y casi no escuchaba lo que decían sus acompañantes. Como yo sabía su historia, le dije a Arlette, estábamos aquí también, mientras se maquillaba: «Tiene su mérito, porque le han pasado montones de desgracias una tras otra». Y me contestó, con mal gesto: «No me fío de la gente a quien le han pasado tantas desgracias, sobre todo las mujeres. Las explotan para dominar a los demás». No es más que una intuición, pero juraría que aludía a su madre. No me habló nunca de su padre. Cuando salía a relucir la palabra, miraba para otro lado. Eso es todo lo que sé. Siempre creí que era una chica de buena familia que se rebeló contra ella. Cuando salen así son las peores, y eso explica muchos misterios.

—¿Se refiere a su ansia de excitar a los hombres?

—Sí. Y a cómo lo hacía. No nací ayer. Estuve en el oficio hace tiempo, y más que hice, seguro que usted lo sabe. Pero no como ella. Y es por eso por lo que no hay otra. Las de verdad, las profesionales, no le echan tanto ardor. Fíjese en las demás. Hasta cuando parecen desatadas se nota que no le ponen alma…

Fred venía de vez en cuando a sentarse un poco en la mesa con Maigret, a cambiar algunas palabras con él. Todas las veces, Désiré traía dos brandys con agua, pero el comisario observó que el del dueño era invariablemente más pálido. Él bebía pensando en Arlette, y en Lapointe, que la noche anterior estaba sentado con ella en aquel mismo box.

De la condesa se ocupaba Lognon, y a Maigret apenas le interesaba ya. Había conocido a muchas como ella, mujeres ya de cierta edad, solas casi siempre, y casi siempre ricas, con un pasado brillante, que se daban a las drogas y rápidamente caían por la pendiente de una abyecta decadencia. Habría doscientas como ella en Montmartre, y en un nivel superior, unas cuantas docenas en los apartamentos de postín de Passy y de Auteuil.

Era Arlette la que le interesaba, porque no conseguía clasificarla, ni comprenderla del todo.

—¿Tenía temperamento?—le preguntó una vez a Fred.

Él se limitó a encogerse de hombros.

—A mí, la verdad, no me preocupan mucho las chicas. Mi mujer ayer se lo contó, y es verdad. Voy a reunirme con ellas en la cocina o subo arriba cuando se cambian. No les pregunto qué les parece, y la cosa no va nunca a más.

—¿No se veían nunca fuera de aquí?

—¿En la calle?

—No. Lo que le pregunto es si se citó alguna vez con ella.

A Maigret le dio la impresión de que dudaba, y de que miraba de reojo adonde permanecía su mujer.

—No—dijo por fin.

Mentía. Es de lo primero que se enteró cuando llegó al quai des Orfèvres, donde por culpa del retraso faltó al informe. Reinaba gran animación en la sala de inspectores. Llamó ante todo al jefe para excusarse y decirle que iría a verle en cuanto le pusieran al corriente sus hombres.

Cuando tocó el timbre, Janvier y el joven Lapointe se presentaron a la vez en su puerta.

—Primero Janvier—dijo él—. Enseguida te llamo, Lapointe.

Janvier tenía un aspecto tan resacoso como él y estaba bien claro que se había pasado la noche arrastrándose por la calle.

—Pensé que a lo mejor pasarías por el Picratt's a verme.

—Ésa era mi intención. Pero cuanto más avanzaba, más trabajo tenía. Si ni me he acostado.

—¿Encontraste a Oscar?

Janvier se sacó del bolsillo un papel lleno de anotaciones.

—No lo sé. No creo. He recorrido casi todos los *meublés* entre la rue Châteaudun y los boulevards de Montmartre. En todos les enseñaba la foto de la chica. Algunos propietarios se hacían el sueco, o contestaban con evasivas.

—¿Conclusión?

—En diez hoteles de ésos, por lo menos, la conocían.

—¿Intentaste averiguar si iba a menudo con el mismo hombre?

—Es lo que les preguntaba con más insistencia. Parece que no. La mayoría de veces, era hacia las cuatro o las cinco de la madrugada. Individuos ya bien achispados, probablemente clientes del Picratt's.

—¿Se quedaba mucho rato con ellos?

—Nunca más de una hora o dos.

—¿Te enteraste de si cobraba?

—Cuando hacía la pregunta, los hoteleros me miraban como si viniera de la luna. Dos veces, en el Moderne, subió con un joven engominado que llevaba un estuche de saxofón bajo el brazo.

—Jean-Jean, el músico de la boîte.

—Posiblemente. La última vez, fue hace unos quince días. ¿Conoce usted el Hôtel du Berry, en la rue Blanche? No queda lejos del Picratt's ni de la rue-Notre-Dame-de-Lorette. Allí iba bastante. A la dueña le gusta hablar, porque ha tenido ya problemas con nosotros por chicas que eran menores, y quiere quedar bien. Arlette estuvo allí una tarde, hace unas semanas, con un hombre bajito y ancho de hombros y con canas en las sienes.

—¿La mujer no le conoce?

—Cree conocerle de vista, pero no sabe quién es. Según ella probablemente sea del barrio. Estuvieron en la habitación hasta las nueve de la noche. Le chocó, porque Arlette casi nunca iba de día ni al atardecer y, sobre todo, porque solía marcharse casi enseguida.

—Compóntelas para conseguir una foto de Fred Alfonsi y enseñársela.

Janvier, que no conocía al dueño del Picratt's, frunció el ceño:

—Si es éste, Arlette ha ido a verse con él a otro sitio también. Déjeme consultar mi lista. Al Hôtel Lepic, en la rue Lepic. Aquí, el que me recibió fue un hombre, que sólo tiene una pierna, y que se pasa la noche leyendo novelas y asegura que no puede dormir porque le duele la pierna; la reconoció. Ha ido varias veces, sobre todo, me dijo, con uno que tiene muy visto del mercado Lepic, pero que no sabe cómo se llama. Un hombre bajo y macizo, que al parecer, ya cerca de mediodía, suele hacer la compra, como cualquier vecino, sin tomarse la molestia de ponerse el cuello de la camisa. ¿Eso iría con él, o no?

—Es posible. Hay que rehacer el camino con una fotografía de Alfonsi. Hay una en el expediente, pero es muy antigua.

—¿Puedo pedírsela a él mismo?

—Pídele sencillamente el carnet de identidad, como para comprobarlo, y hazte sacar una copia de la que figure ahí.

Entró el ayudante de los despachos, y anunció que una señora quería ver a Maigret.

—Dile que espere. Enseguida estoy.

Janvier añadió:

—Marcoussis ha estado repasando el correo. Parece que hay montones de cartas sobre la identidad de Arlette. Esta mañana, ha atendido unas veinte llamadas por teléfono. Lo verificamos todo, pero aún no tenemos nada serio.

—¿Tú le has hablado de Oscar a todo el mundo?

—Sí. Nadie suelta prenda. O me hablan de los Oscar del barrio, que ninguno corresponde a esas señas de identificación.

—Dile a Lapointe que entre.

Lapointe tenía aspecto preocupado. Sabía que los dos hombres estaban hablando de Arlette y se preguntaba por

89

qué no se le permitía asistir, como de costumbre, a la conversación.

La mirada que fijó en el comisario contenía una pregunta casi suplicante.

—Siéntate, hijo. Si hubiera algo nuevo, te lo diría. Estamos casi en el mismo punto que ayer.

—¿Han pasado allí la noche?

—Y en el sitio que ocupabas tú la noche anterior, efectivamente. Por cierto, ¿te habló ella alguna vez de su familia?

—Todo lo que sé es que se escapó de casa.

—¿No te dijo por qué?

—Me dijo que odiaba la hipocresía, y que toda su infancia tuvo una sensación de ahogo.

—Contéstame con franqueza: ¿era amable contigo?

—¿Qué entiende usted exactamente por amable?

—¿Te trataba como a un amigo? ¿Te hablaba sin disimulos?

—A veces, sí, creo que sí. Resulta difícil de explicar.

—¿Le hiciste la corte enseguida?

—Le confesé que la quería.

—¿La primera noche?

—No. La primera noche yo iba con mi amigo y casi no abrí la boca. Fue cuando volví solo.

—¿Qué te contestó?

—Intentó tratarme como a un chiquillo, y le repliqué que tenía veinticuatro años y era mayor que ella. «¡No son los años los que cuentan, hijo mío!—exclamó—. ¡Yo soy mucho más vieja que tú!». Ya ve usted, estaba muy triste, yo diría que hasta desesperada. Creo que la quise por eso. Se reía, bromeaba, pero con mucha amargura. Había veces…

—Continúa…

—Sé que me toma por un ingenuo, usted también. Ella

intentaba desengañarme, se comportaba con vulgaridad y usaba palabras ordinarias expresamente. «Por qué no te conformas con acostarte conmigo como los demás? ¿Es que no te excito? Conmigo aprenderías muchas más cosas que con ninguna otra mujer. Apuesto a que no hay ni una que tenga mi experiencia ni sepa hacerlo como yo…». ¡Y espere! Porque añadió, y ahora lo encuentro chocante: «Tuve buena escuela».

—¿Nunca tuviste ganas de probarlo?

—Yo tenía ganas de ella. A veces, hasta habría gritado. Pero no era así como la quería, eso lo hubiera echado todo a perder, ¿comprende?

—Comprendo. ¿Y qué decía cuando le hablabas de cambiar de vida?

—Se reía, me llamaba su pequeño doncel, y aún bebía más, y estoy seguro de que era por desesperación. ¿No ha encontrado al hombre?

—¿Qué hombre?

—¿El que ella llamaba Oscar?

—No hemos descubierto aún nada en absoluto. Ahora, cuéntame lo que tú has hecho esta noche.

Lapointe se había traído una voluminosa carpeta, los papeles hallados en casa de la condesa, que él había clasificado cuidadosamente, y había llenado de notas varias páginas.

—He podido reconstruir casi toda la historia de la condesa—dijo—. Ya por la mañana recibí un informe de la policía de Niza.

—Cuenta.

—En primer lugar, ya sé su verdadero nombre: Madeleine Lalande.

—Lo vi ayer en el acta de matrimonio.

—Es verdad. Le pido disculpas. Nació en La Roche-sur-

Yon, donde su madre hacía la limpieza en algunas casas. No conoció a su padre. Vino a París como doncella, pero al cabo de unos meses ya era la querida de alguien. Cambió varias veces de amante, y cada vez subía un escalón, y hace quince años era una de las mujeres más guapas de la Costa Azul.

—¿Tomaba ya estupefacientes?

—Eso no lo sé, y no he hallado indicio alguno que permita suponerlo. Sí que jugaba, frecuentaba los casinos. Y conoció al conde Von Farnheim, de una antigua familia austríaca, que tenía entonces sesenta y cinco años. Éstas son las cartas del conde, clasificadas por fechas.

—¿Las has leído todas?

—Sí. La amaba apasionadamente. —Lapointe se puso colorado, como si él hubiera sido capaz de escribir aquellas cartas—. Son muy conmovedoras. Se daba cuenta de que él no era más que un anciano casi fuera de combate. Las primeras cartas son respetuosas. La llama «señora», luego «mi querida amiga», luego ya por fin «nenita mía», y le suplica que no le abandone, que no le deje nunca solo. Le repite una y otra vez que no tiene a nadie más que a ella en el mundo, y que no puede siquiera imaginar lo que serían sin ella sus últimos años.

—¿Se acostaron enseguida?

—No. La cosa llevó unos meses. Él se puso enfermo, en una villa amueblada donde vivía antes de comprar El Oasis, y consiguió que ella se fuera a vivir con él como invitada, y que accediera a hacerle compañía unas pocas horas cada día.

»Se le nota, en cada línea, que es sincero, que se agarra desesperadamente a ella, está dispuesto a todo con tal de no perderla.

»Habla con amargura de la diferencia de edad, y le dice que ya sabe que no es una vida agradable lo que le propone.

"No durará mucho—escribe en un momento dado—. Soy viejo y tengo poca salud. Dentro de unos años, serás libre, nenita mía, todavía hermosa y, si me permites, serás rica…".

»Le escribe todos los días, a veces breves notitas de colegial: "¡Te quiero! ¡Te quiero! ¡Te quiero!".

»Luego, de pronto, el delirio, una especie de Cantar de los Cantares. El tono ya no es el mismo, y habla de su cuerpo con una pasión no exenta de veneración. "No puedo creer que ese cuerpo haya sido mío, que esos senos, esas caderas, ese vientre…".

Maigret miraba pensativamente a Lapointe y no sonreía.

—En esos momentos, le obsesiona la idea de que podría perderla. Y a la vez, los celos le torturan. Le suplica que se lo cuente todo, incluso cuando la verdad haya de dolerle. Quiere saber lo que hizo la víspera, y con qué hombres habló.

»Se menciona en una ocasión a cierto músico del casino que a él le parece demasiado guapo y que le da un miedo tremendo. Y también quiere conocer el pasado.

»Eres "toda tú lo que necesito"…

»Y al final, le suplica insistentemente que se case con él.

»No tengo cartas de la mujer. Al parecer no escribía, pero le contestaba de viva voz o le telefoneaba. En una de las últimas notitas, en la que habla otra vez de su edad, el conde exclama: "Debí comprender que tu hermoso cuerpo siente ansias que yo no puedo satisfacer. Es algo que me destroza el corazón. Cada vez que lo pienso, me hiere tan profundamente que temo morir. Pero prefiero compartirte a no tenerte en absoluto. Juro que jamás te haré una escena ni un reproche. Serás tan libre como ahora, y yo, en mi rincón, te estaré esperando a que vengas a traerle un poquito de alegría a tu anciano marido…". —Lapointe se sonó—. Fueron a casarse a Capri, ignoro el porqué. No hubo contrato de matrimonio, de modo que vivieron en régimen de comunidad de bienes. Estuvieron viajando varios meses, fueron a Constantinopla y a El Cairo, y luego se instalaron unas semanas en un gran hotel de los Campos Elíseos. Si lo sé es porque he encontrado facturas del hotel.

—¿Cuándo murió él?

—La policía de Niza me ha proporcionado toda la información. Apenas tres años después de casarse. Se habían instalado en El Oasis. Durante meses, se les podía ver a ambos en una limusina conducida por un chofer, frecuentando los casinos de Montecarlo, Cannes y Juan-les-Pins.

»Ella iba muy bien vestida y cargada de joyas. A su llegada causaban sensación, porque ella era difícil que pasara desapercibida y su marido iba siempre siguiendo sus pasos, bajito, enclenque, con su perilla negra y sus impertinentes. Le llamaban la Rata.

»Ella jugaba fuerte, no tenía ningún empacho en flirtear, y aseguran que tuvo no pocas aventuras.

»Él esperaba, como su sombra, hasta primeras horas de la madrugada, con una resignada sonrisa.

—¿Cómo murió?

—Niza le va a enviar el informe por correo, porque hubo una investigación al respecto. El Oasis está situado en La Corniche, en la carretera del acantilado, y la terraza, rodeada de palmeras, sobrevuela, como la mayoría de las propiedades en las inmediaciones, una roca que cae a pico desde cien metros de altura.

»Fue al pie de esa roca donde se descubrió, una mañana, el cadáver del conde.

—¿Bebía?

—Estaba a régimen. Su médico declaró que a causa de ciertos medicamentos que tenía que tomar, sufría de vahídos.

—¿El conde y la condesa compartían habitación?

—Cada cual tenía su apartamento. La noche anterior habían ido al casino, como de costumbre, y volvieron hacia las tres de la madrugada, que en su caso era excepcionalmente pronto. La condesa estaba cansada. Con toda franqueza le dijo a la policía el porqué: tenía el período y le resultaba muy doloroso. Se acostó enseguida. En cuanto a su marido, según el chofer, bajó primero a la biblioteca, cuya puertaventana da a la terraza. Solía hacerlo cuando tenía insomnio. Dormía poco. Se supone que quería tomar el aire y se sentó en el reborde de piedra. Era su sitio favorito, porque, desde allí, se ve la bahía Des Anges, las luces de Niza y buena parte de la costa.

»Cuando lo encontraron, el cuerpo no tenía señal ninguna de violencia, y el examen de las vísceras, que se requirió, no dio resultados.

—¿Qué se hizo de ella después?

—Tuvo que pelear con un sobrino nieto, que le salió en Austria, que incoó un proceso contra ella, y le llevó dos años ganar la batalla. Seguía viviendo en Niza, en El Oasis. Tenía muchas visitas. Su casa era muy alegre y bebían hasta la madrugada. Los invitados se quedaban muchas veces a dormir y se reanudaba la fiesta al despertar. Según la policía, varios gigolós, uno tras otro, la fueron despojando de buena parte de su fortuna.

»He preguntado si fue entonces cuando recurrió a los estupefacientes y no han podido decirme nada concreto. Intentarán informarse, pero ha pasado ya mucho tiempo. El único informe que hasta ahora han encontrado es muy incompleto y no saben seguro si darán con el expediente.

»Lo que sí saben es que bebía y jugaba. Y ya lanzada, se llevaba a casa a todo el mundo.

»¿Qué le parece? Dicen que por allí hay muchas chaladas así.

»Debió de perder mucho dinero en la ruleta, donde se empecinaba en un número durante horas enteras.

»A los cuatro años de morir su marido vendió El Oasis, y como fue en plena crisis financiera, tuvo que malvenderlo. Creo que hoy es un sanatorio o una casa de reposo. En cualquier caso, no es una vivienda.

»Nuestros compañeros de Niza no saben más. Una vez vendida la propiedad, la condesa desapareció de la circulación y nunca más han vuelto a verla por la Costa Azul.

—Deberías darte una vuelta por la brigada del juego—le aconsejó Maigret—. Y los de estupefacientes quizá puedan también darte alguna información.

—¿No sigo ya con Arlette?

—Ahora no. Quiero también que vuelvas a llamar a Niza. A lo mejor pueden darte la lista de todos los habitantes de El Oasis cuando se produjo la muerte del conde. No te dejes a los criados. Aunque ya haga quince años de aquello, quizá pueda encontrarse aún a algunos.

Seguía nevando, en copos bastante espesos, pero tan livianos, tan etéreos, que se fundían en cuanto rozaban el suelo o la pared.

—¿Es todo, jefe?

—Sí, de momento. Pásame el expediente.

—¿No quiere que redacte un informe?

—Hasta que hayamos terminado, no. Venga, ¡largo!

Maigret se levantó, agarrotado por el calor del despacho, y aún con el mal sabor de boca y un dolor sordo en la base del cráneo. Recordó que una señora le esperaba en la antesala y, para desentumecerse, decidió ir él mismo a buscarla. Si le hubiera quedado tiempo, habría ido en un salto a la Brasserie Dauphine a tomarse de un sorbo una caña que hubiera sido su salvación.

Varias personas aguardaban en la sala de espera acristalada, donde los sillones eran de un verde más vivo que de costumbre, y donde, en un rincón, un paraguas se erguía en medio de un charco indefinible. Buscó con la vista quién lo esperaba, y divisó a una señora de negro, de cierta edad, sentada muy tiesa en una silla y que se levantó al llegar él. Habría visto sin duda su retrato en los periódicos.

Lognon, que estaba también allí, no se levantó, ni se movió, se limitó a mirar al comisario suspirando. Él era así. Necesitaba sentirse muy desgraciado, muy desafortunado, considerarse víctima de la mala suerte. Había trabajado toda la noche, chapoteando por las calles mojadas, mientras cientos de miles de parisienses dormían. Ya no era su investigación, dado que la Policía Judicial se ocupaba del caso. Pero aun así había hecho todo lo posible, a sabiendas de que el honor recaería sobre otros, y había descubierto una cosa.

Haría una media hora que estaba allí, esperando, acompañado de un extraño joven de cabello largo, tez muy pálida y nariz afilada, que miraba fijamente ante sí y parecía a punto de desmayarse.

Y, por supuesto, nadie le hacía el menor caso. Le dejaban allí consumiéndose. Ni siquiera le preguntaban quién era su acompañante, ni lo que sabía. Maigret se limitó a murmurar:

—¡Dentro de un momento, Lognon!—Mientras, hacía pasar a la señora delante de él, le abría la puerta de su despacho y se apartaba para dejarla entrar—. Sírvase sentarse, por favor.

Pronto se daría cuenta Maigret de que se había equivocado. Por su conversación con la Rose y el aspecto respetable y algo envarado de su visitante, toda de negro, y su aire afectado, había creído que se trataba de la madre de Arlette, que habría reconocido en los periódicos la fotografía de su hija.

Sus primeras palabras no lo sacaron de su error.

—Vivo en Lisieux y he cogido el primer tren de la mañana.

Lisieux no queda lejos del mar. Por lo que él recordaba, debía de haber algún convento por allí.

—Leí el periódico, anoche, y enseguida reconocí la fotografía.

Adoptaba una expresión afligida, que creía obligada dadas las circunstancias, pero no estaba triste en absoluto. Incluso había como un destello de triunfo en sus ojitos negros.

—Claro que en cuatro años la niña debió de cambiar bastante, y sobre todo el peinado es lo que le da un aspecto tan distinto. Pero aun así estoy bien segura de que es ella. De buena gana hubiera ido a ver a mi cuñada, pero hace años que no nos hablamos y no es a mí a quien le toca dar el primer paso. ¿Comprende?

—Comprendo —dijo Maigret con gravedad, dándole una pequeña bocanada a su pipa.

—El apellido tampoco es el mismo, claro. Pero es normal, cuando se lleva ese tipo de vida, cambiarse el nombre. Pero lo que me ha inquietado es ver que se hacía llamar Arlette y tenía un carnet de identidad a nombre de Jeanne Leleu. Lo más curioso es que yo conocía a los Leleu…

Él esperaba, pacientemente, mirando caer la nieve.

—Sea como sea, el caso es que les enseñé la fotografía a tres personas distintas, personas serias, que conocieron de veras a Anne-Marie, y las tres estuvieron de acuerdo. Es ella, sin lugar a dudas, la hija de mi hermano y mi cuñada.

—¿Su hermano vive aún?

—Falleció cuando la niña tenía sólo dos años. Murió en un accidente de tren que quizá usted recuerde, la famosa catástrofe de Rouen. Yo le había dicho…

—¿Su cuñada vive en Lisieux?

—Nunca salió de su tierra. Pero tal como le he informado ya, no nos vemos. Hay caracteres con los que es imposible entenderse, ¿verdad? ¡Dejémoslo!

—¡Dejémoslo!—repitió él. Y luego preguntó—: En realidad, ¿cuál es el apellido de su hermano?

—Trochain. Gaston Trochain. Somos una gran familia, probablemente la mayor familia de Lisieux, y una de las más antiguas. No sé si usted conoce aquella zona…

—No, señora. Sólo he estado de paso.

—Pero habrá visto, en la plaza, la estatua del general Trochain. Es nuestro bisabuelo. Y, si coge usted la carretera de Caen, la mansión que se ve a la izquierda, con tejado de pizarra, era la de la familia. Ya no nos pertenece. La compraron después de la guerra de 1914 unos nuevos ricos. Y eso que mi hermano estaba en bastante buena posición.

—¿Le parecería una indiscreción si le pregunto a qué se dedicaba?

—Era inspector de Aguas y Bosques. En cuanto a mi cuñada, su padre tenía un negocio de ferretería y amasó un capitalito, y ella heredó una decena de casas y dos granjas. En vida de mi hermano, la gente la invitaba por él. Pero, en cuanto se quedó viuda, comprendieron que no pertenecía a aquel ambiente y está siempre sola, por así decirlo, en su enorme casa.

—¿Usted cree que habrá leído también los periódicos?

—Desde luego. La foto venía en primera plana del periódico local y todo el mundo lo recibe.

—¿No la sorprende que no nos haya dado señales de vida?

—No, señor comisario. Seguramente no lo hará. Es demasiado orgullosa para eso. Apuesto incluso a que, si le muestran el cadáver, jurará que no es su hija. Hace cuatro años, yo lo sé bien, que no recibe noticias de ella. Nadie las ha tenido, en Lisieux. Y no es su hija lo que la consume, sino el qué dirán.

—¿Ignora usted en qué circunstancias abandonó la casa de su madre la muchacha?

—Podría contestarle que nadie es capaz de vivir con esa mujer. Pero hay algo más. Yo no sé a quién había salido la chiquilla, pero a mi hermano no, todo el mundo se lo dirá. El caso es que a los quince años las monjas del colegio la pusieron de patas en la calle. Y que desde entonces, cuando me veía obligada a salir de noche, no me atrevía a mirar los portales oscuros por temor a verla con un hombre. Incluso hombres casados. Mi cuñada creyó poder meterla en cintura encerrándola, lo cual nunca fue un buen método, y no sirvió más que para enrabietarla. Se cuenta en la ciudad que una vez se escapó por la ventana descalza y que así la vieron por la calle.

—¿Hay algún detalle por el que estaría muy segura de reconocerla?

—Sí, señor comisario.

—¿Cuál?

—Yo no he tenido hijos, desgraciadamente. Mi marido nunca fue muy fuerte y ya hace años que está enfermo. Cuando mi sobrina era pequeña, no nos habíamos disgustado aún, su madre y yo. Y muchas veces, como buena cuñada, me ocupaba de la nena, y recuerdo que tenía una mancha de nacimiento en el talón izquierdo, una manchita color granate que nunca se le fue.

Maigret descolgó el teléfono y llamó al Instituto Médico Forense.

—¿Oiga? Aquí la Policía Judicial. ¿Quiere, por favor, examinar el pie izquierdo de la joven que les llevaron ayer...? Sí, permanezco a la escucha... Dígame si observa algo especial...

Ella esperaba con una seguridad total, como mujer que nunca tuvo la tentación de dudar de sí misma, y permanecía sentada muy tiesa en su silla, con las manos juntas sobre el cierre de plata de su bolso. Era fácil imaginarla así en la iglesia, escuchando el sermón, con aquel mismo rostro cerrado y duro.

—¿Diga…? Sí… Eso es todo. Muchas gracias. Seguramente les visitará una persona que reconocerá el cadáver…—Se volvió a la señora de Lisieux—. Supongo que no le da miedo…

—Es mi deber—contestó ella.

Él no tenía valor para hacer esperar más al pobre Lognon, ni sobre todo para ir con la visitante al depósito de cadáveres. Buscó con la vista a alguien en el despacho contiguo.

—¿Estás libre, Lucas?

—Acabo de terminar mi informe sobre el caso de Javel.

—¿Quieres acompañar a la señora al Instituto Médico Forense?

Era más alta que el brigada, más seca, y, por el pasillo por donde lo precedía, tenía un poco el aire de llevarlo sujeto con una correa.

VI

Cuando Lognon entró, empujando por delante a su detenido, de cabello tan largo que le hacía una especie de burlete en la nuca, Maigret observó que éste llevaba una pesada maleta marrón de fuelle, de lona de vela recosida con cordel, que le obligaba a caminar torcido.

El comisario abrió una puerta e hizo entrar al joven en el despacho de los inspectores.

—Miren a ver lo que lleva ahí—les dijo señalando la maleta. Luego, ya a punto de alejarse, se volvió—: Y que se baje el calzón para ver si se pincha.

Ya a solas con el inspector mala sombra, le miró con benevolencia. No le reprochaba a Lognon su mal carácter y sabía que su mujer no contribuía a hacerle la vida agradable. Otros colegas suyos, hubieran tratado de ser amables con Lognon. Pero era más fuerte que él. Al verle tan lúgubre, con ese aspecto siempre de barruntar una catástrofe, no podía menos que encogerse de hombros o esbozar una sonrisa.

En el fondo, Maigret sospechaba que le había tomado gusto a la mala suerte y al malhumor, y los había convertido en un vicio personal, que alimentaba amorosamente como esos ancianos que, para que les compadezcan, alimentan su bronquitis crónica.

—Tú dirás, muchacho.

—Pues digo que ya ve.

Lo que significaba que Lognon estaba dispuesto a contestar a sus preguntas, porque no era más que un subalterno, pero que consideraba escandaloso que él, a quien correspondería la investigación si la Policía Judicial no existiera, él, que se sabía de memoria su distrito y que, desde la víspera, no se había permitido ni un momento de reposo, se viera ahora abocado a rendir cuentas.

El pliegue de su boca decía elocuentemente: «Sé lo que va a pasar. Siempre es lo mismo. Usted va a interrogarme, yo lo cantaré todo y, mañana o cuando sea, los periódicos dirán que el comisario Maigret ha resuelto el problema. Una vez más hablarán de su olfato, de sus métodos».

En el fondo, Lognon no se lo creía ni él, y ahí estaba toda la explicación de su actitud. Si Maigret era comisario, si otros, aquí, pertenecían a la brigada especial en vez de zancajear por los alrededores de una comisaría de distrito, es que tenían suerte, o enchufe, o también que sabían darse a valer. En su fuero interno, ninguno tenía nada que no tuviera Lognon.

—¿Dónde lo has pescado?

—En la Gare du Nord.

—¿Cuándo?

—Esta mañana, a las seis y media. No había amanecido aún.

—¿Sabes cómo se llama?

—Lo sé desde hace una eternidad. Es la octava vez que le detengo. Se le conoce sobre todo por su nombre de pila, Philippe. Se llama Philippe Mortemart y su padre es profesor de la Universidad de Nancy.

Sorprendía ver a Lognon soltar tanta información de corrido. Llevaba los zapatos llenos de barro, y como eran viejos, debía de haberles entrado agua; los bajos del pantalón estaban mojados hasta la rodilla, y sus ojos cansados ribeteados de rojo.

—¿Supiste enseguida que se trataba de él cuando la portera mencionó a un joven de pelo largo?

—Conozco el distrito.

Lo que en síntesis significaba que a Maigret y sus hombres no se les había perdido nada en él.

—¿Fuiste a su casa? ¿Dónde vive?

—En lo que fue una buhardilla del servicio en el boulevard Rochechouart. No estaba.

—¿Qué hora era?

—Las seis, ayer por la tarde.

—¿Ya se había llevado la maleta?

—Aún no.

Había que reconocer que Lognon era el más obstinado perro de presa del mundo. Decidió seguir una pista, aun sin estar seguro de que fuera la buena, y la había seguido sin desalentarse.

—¿Has estado siguiéndole desde las seis de ayer hasta esta mañana?

—Sé a qué sitios suele ir. Necesitaba dinero para irse, y estaba haciendo la ronda en busca de alguien a quien sablear. Hasta que lo consiguió no fue a buscar la maleta.

—¿Cómo supiste que estaba en la Gare du Nord?

—Me lo dijo una chica que le vio coger el autobús en el square d'Anvers. Y lo encontré en la sala de espera.

—¿Y qué has hecho con él desde las siete de la mañana?

—Me lo llevé a comisaría para interrogarle.

—¿Y qué?

—O no quiere decir nada, o no sabe nada.

Le pareció raro. Maigret tenía la sensación de que el inspector tenía prisa por irse y probablemente no para acostarse.

—Supongo que se lo dejo, ¿no?

—¿No has redactado el informe?

—Se lo entregaré esta noche a mi comisario.

—¿Era Philippe quien proveía de droga a la condesa?

—O era ella quien se la pasaba a él. En cualquier caso, se les veía juntos a menudo.

—¿Desde hace mucho?

—Varios meses. Si ya no me necesita…

Algo le rondaba por la cabeza, seguro. O Philipppe le había dicho algo que le puso la mosca en la oreja, o en sus pesquisas de la noche recogió un dato que le hizo atisbar una pista, y le corría prisa seguirla, antes de que otros se pusieran sobre ella.

Maigret conocía el distrito, también, y se imaginaba cómo había sido la noche de Philippe y el inspector. Para encontrar dinero, el chico debió de intentar ver a todos sus contactos, y había que empezar por el mundo de los drogadictos. Fue a buscar sin duda a las chicas que hacen la calle a la puerta de hoteles sórdidos, a los camareros de los bares, a los que apandan clientes para las boîtes. Luego, ya desiertas las calles, llamó a la puerta de tugurios donde vivían otros marginados de su clase, tan míseros y sin blanca como él.

¿Habría al menos conseguido droga para su propio consumo? Si no, de aquí a nada se iba a desplomar como un trapo.

—¿Puedo irme?

—Puedes irte. Has hecho un buen trabajo.

—No digo que matara a la vieja.

—Yo tampoco.

—¿Se lo queda?

—Es posible.

Lognon se fue y Maigret abrió la puerta del despacho de los inspectores. La maleta estaba abierta en el suelo. Philippe, con la cara del color y consistencia de la cera fundida, levantaba el brazo en cuanto alguien hacía un ademán, como temiendo que le pegaran. Nadie allí le miraba con conmiseración, y en todas las caras podía verse la misma repugnancia.

La maleta no contenía más que ropa interior usada, un par de calcetines de repuesto, frascos de medicinas—Maigret los olió para asegurarse de que no fuera heroína—y unos cuantos cuadernos.

Los hojeó. Eran poemas o, mejor dicho, frases inconexas salidas del delirio de un drogado.

—¡Ven!—ordenó.

Y Philippe pasó delante de él con los gestos de quien se teme una patada en el trasero. Debía de estar acostumbrado. Hasta en Montmartre hay gente incapaz de ver a un tipo de su clase sin darle un trompazo.

Maigret se sentó, no le propuso sentarse, y el muchacho permaneció de pie, aspirando sin cesar por la nariz, sin motivo, con un movimiento exasperante de las aletas de la nariz.

—¿La condesa era tu amante?

—Era mi protectora.

Pronunciaba las palabras con la voz y el acento de un invertido.

—¿Eso quiere decir que no te acostabas con ella?

—Se interesaba por mi obra.

—¿Y te daba dinero?

—Me ayudaba.

—¿Te daba mucho?

—No era rica.

No había más que ver su traje, de buen corte, pero raído hasta casi vérsele la trama, un traje azul marino con americana cruzada. Los zapatos debían de habérselos dado, porque eran unos zapatos de charol que habrían ido mejor con un smoking que con la sucia gabardina que llevaba por los hombros.

—¿Por qué has tratado de huir a Bélgica?

No contestó enseguida, miró la puerta del despacho contiguo, como temiendo que Maigret llamara a dos forzudos inspectores para darle una paliza. Quizá le había pasado ya en anteriores detenciones.

—Yo no he hecho nada malo. No entiendo por qué me han detenido.

—¿Tú eres más de hombres?

En el fondo, como todos los putitos, lo tenía a gala, y una involuntaria sonrisa se dibujó en sus labios demasiado rojos. Quién sabe si no le excitaba verse maltratado por hombres de verdad...

—¿No quieres contestar?

—Tengo amigos.

—Pero ¿también tienes amigas?

—No es lo mismo.

—Si lo entiendo bien, ¿los amigos son por gusto y las señoras mayores por la ganancia?

—Aprecian mi compañía.

—¿Conoces a muchas?

—Tres o cuatro.

—¿Todas protectoras tuyas?

Había que contenerse para hablar de tales cosas con una voz normal y para mirar al chico como a un semejante.

—De vez en cuando me ayudan.

—¿Todas se pinchan?

En aquel momento, como él volvía la cabeza sin contestar, Maigret se irritó. No se levantó, ni lo zarandeó cogiéndolo por el cuello grasiento de la gabardina, pero su voz se hizo ronca, masticando las sílabas:

—¡Escucha! Hoy no tengo mucha paciencia y yo no soy Lognon. O hablas enseguida, o te meto a la sombra y no vuelven a verte en un montón de tiempo. Y no va a ser sin dejar antes a mis inspectores tener una palabras contigo.

—¿Quiere usted decir que van a pegarme?

—Harán lo que les dé la gana.

—No tienen derecho.

—Y tú tampoco tienes derecho a ensuciar así el paisaje. Ahora, prueba a contestar. ¿Cuánto hace que conoces a la condesa?

—Unos seis meses.

—¿Dónde la conociste?

—En un cafetín de la rue Victor-Massé, casi enfrente de su casa.

—¿Comprendiste enseguida que se pinchaba?

—Saltaba a la vista.

—¿Y te la trabajaste?

—Le pedí que me diera un poco.

—¿Y tenía?

—Sí.

—¿Mucha?

—No le faltaba casi nunca.

—¿Sabes cómo se la procuraba?

—No me lo decía.

—Contesta. ¿Lo sabes?

—Creo que sí.

—¿Cómo?

—Gracias a un doctor.

—¿Un doctor también del gremio?

—Sí.

—¿El doctor Bloch?

—No sé cómo se llama.

—Mientes. ¿Fuiste a verle?

—Alguna vez.

—¿Para qué?

—Para que me diera.

—¿Y te dio?

—Sólo una vez.

—¿Porque le amenazaste con hablar?

—Yo la necesitaba enseguida. Hacía tres días que estaba así. Y él me puso una inyección, sólo una.

—¿Dónde te veías con la condesa?

—En el cafetín y en su casa.

—¿Cómo es que ella te daba morfina y dinero?

—Porque se interesaba por mí.

—Ya te he avisado de que te conviene contestar a mis preguntas.

—Se sentía sola.

—¿No conocía a nadie?

—Siempre estaba sola.

—¿Hacías el amor con ella?

—Intentaba complacerla.

—¿En su casa?

—Sí.

—¿Y bebíais los dos vino tinto?

—A mí me ponía malo.

—Y os quedabais dormidos en su cama. ¿Alguna vez pasaste allí la noche?

—Hubo una vez que me quedé dos días.

—Apuesto a que sin descorrer las cortinas, sin saber cuándo era de día y cuándo era de noche. ¿Me equivoco?

Tras de lo cual, él debía de vagar por las calles como un sonámbulo, en un mundo al que no pertenecía, en busca de otra ocasión.

—¿Qué edad tienes?

—Veintiocho años.

—¿Cuándo empezaste?

—Hará tres o cuatro años.

—¿Por qué?

—No lo sé.

—¿Tienes aún algún trato con tus padres?

—Hace ya mucho que mi padre me maldijo.

—¿Y tu madre?

—Me manda de vez en cuando un giro postal a escondidas.

—Háblame de la condesa.

—No sé nada.

—Di lo que sepas.

—Había sido muy rica. Estuvo casada con un hombre a quien no quería, un viejo que no le daba un minuto de respiro y que la hacía seguir por un detective privado.

—¿Eso es lo que te contó?

—Sí. A él le mandaban un informe cada día con la relación minuto a minuto de todas sus andanzas.

—¿Ya se inyectaba?

—No. No creo. Él murió y todo el mundo se le echó encima para quitarle el dinero que le dejó.

—¿Quién es todo el mundo?

—Todos los gigolós de la Costa Azul, los jugadores profesionales, las amiguitas…

—¿No te dijo nunca nombres?

—No me acuerdo. Usted ya sabe cómo va la cosa. Cuando tienes tu dosis, ya no hablas de la misma manera.

Maigret no lo sabía más que de oídas, porque nunca lo había probado.

—¿Le quedaba dinero todavía?

—No mucho. Yo creo que iba vendiendo sus joyas a medida que lo necesitaba.

—¿Las viste?

—No.

—¿No se fiaba de ti?

—No sé.

Oscilaba de tal modo sobre las piernas, seguramente esqueléticas dentro de su pantalón flotante, que Maigret le hizo ademán de sentarse.

—¿Aparte de ti, alguien más, en París, trataba aún de sacarle dinero?

—A mí no me lo dijo.

—¿Nunca viste a nadie en su casa, ni con ella, por la calle o en un bar?

Maigret notó claramente una vacilación.

—N… ¡no!

Le miró con dureza.

—¿No has olvidado lo que te aseguré?

Pero Philippe ya había reaccionado.

—Nunca vi a nadie con ella.

—¿Ni hombre ni mujer?

—Nadie.

—¿Tampoco oíste mencionar a un tal Oscar?

—No conozco a nadie que se llame así.

—¿Nunca te dio la impresión de que le tenía miedo a alguien?

—Lo único que le daba miedo era morir completamente sola.

—¿No se disgustaba contigo?

Tenía la piel demasiado pálida para sonrojarse, pero se le pusieron vagamente coloradas las puntas de las orejas.

—¿Y usted cómo lo sabe? —Y añadió, con una sonrisa de hombre experimentado y algo despectiva—: Siempre se acaba igual.

—Cuenta.

—Pregúntele a cualquiera.

Lo que significaba: «A cualquiera que se drogue».

Luego, con voz triste, como si supiera que nadie iba a entenderle:

—Cuando ya no podía más y era incapaz de conseguirla,

la tomaba conmigo con rabia, me acusaba de mendigarle su morfina y hasta de robársela, y juraba que la víspera aún quedaban diez o doce ampollas en el cajón.

—¿Tú tenías llave del apartamento?

—No.

—¿Nunca entraste en su ausencia?

—Ella casi siempre estaba. A veces hasta se pasaba una semana o dos sin salir de la habitación.

—Contesta a mi pregunta con un sí o con un no. ¿No entraste nunca en su apartamento durante su ausencia?

Una vacilación, nuevamente, apenas perceptible.

—No.

Maigret refunfuñó como para sí, sin insistir:

—¡Mientes!

A causa de Philippe, la atmósfera de su despacho se había vuelto casi tan asfixiante, tan irreal, como la del apartamento de la rue Victor-Massé.

Maigret conocía lo bastante a los drogadictos como para saber que, llegado el caso, cuando anduviera falto de droga, Philippe trataría de conseguirla a toda costa. En tales casos, haría, como esta noche cuando iba en busca de dinero para huir, la ronda de todos los conocidos a quien poder sacárselo, sin el menor respeto humano.

En el bajo escalón de la sociedad en que el joven vivía, no debía de ser siempre fácil. ¿Cómo no pensar entonces que la condesa la tenía casi siempre en el cajón, y si por casualidad se la roñoseaba, bastaba con esperar a que saliera de casa?

Era sólo una intuición, pero perfectamente acorde con la lógica.

Esos tipos se espían mutuamente, tienen celos unos de otros, se roban y a veces se denuncian. La Policía Judicial ya ni cuenta las llamadas anónimas que recibe para saciar un ansia de venganza.

—¿Cuándo fue la última vez que la viste?

—Anteayer por la mañana.

—¿Estás seguro de que no fue ayer por la mañana?

—Ayer por la mañana estaba enfermo y no salí de la cama.

—¿Qué tenías?

—Hacía dos días que no encontraba.

—¿Ella no te dio?

—Me juró que no tenía y que el doctor no había podido proporcionársela.

—¿Discutisteis?

—Estábamos los dos de mal humor.

—¿Te creíste lo que te dijo?

—Me enseñó el cajón vacío.

—¿Cuándo esperaba al doctor?

—No lo sabía. Le había telefoneado y él le prometió que iría a verla.

—¿Y no volviste?

—No.

—Ahora, escúchame bien. Se encontró el cadáver de la condesa ayer hacia las cinco de la tarde. Los periódicos vespertinos habían salido ya. La noticia no se ha publicado pues hasta esta mañana. Ahora bien, tú te has pasado la noche buscando dinero para huir a Bélgica. ¿Cómo sabías que la condesa había muerto?

Estuvo, a todas luces, a punto de contestar: «Yo no lo sabía». Pero ante la mirada intensa del comisario, cambió de opinión:

—Pasé por la calle y vi a unos curiosos en la acera.

—¿A qué hora?

—Hacia las seis y media.

A aquella hora Maigret estaba en el apartamento y efectivamente había un agente que mantenía a los mirones alejados del portal.

—Vacíate los bolsillos.

—El inspector Lognon ya me los hizo vaciar.

—Vacíatelos otra vez.

Salió un pañuelo sucio, dos llaves cogidas con una anilla —una era la llave de la maleta—, un cortaplumas, un monedero, una cajita que contenía unas píldoras, una cartera, una agenda y una jeringuilla hipodérmica en su estuche.

Maigret cogió la agenda, que ya estaba vieja y con las páginas amarillentas, y en la que había gran cantidad de direcciones y números de teléfono. Casi ningún apellido. Iniciales y nombres de pila. El de Oscar no figuraba.

—Cuando te enteraste de que habían estrangulado a la condesa, ¿pensaste que sospecharían de ti?

—Como siempre.

—¿Y decidiste irte a Bélgica? ¿Conoces a alguien allí?

—He estado varias veces en Bruselas.

—¿Quién te dio el dinero?

—Un amigo.

—¿Qué amigo?

—No sé cómo se llama.

—Te valdrá más decírmelo.

—Es el doctor.

—¿El doctor Bloch?

—Sí. Yo no había encontrado nada. Eran las tres de la madrugada y empezaba a tener miedo. Acabé por telefonearle desde un bar de la rue Caulaincourt.

—¿Y qué le dijiste?

—Que era un amigo de la condesa y que necesitaba dinero urgentemente.

—¿Se lo tragó enseguida?

—Añadí que, si me detenían, él podría tener problemas.

—En resumen, que le hiciste pasar por el aro. ¿Te citó en su casa?

—Me dijo que me llegara a la rue Victor-Massé, donde vive, y que estaría en la acera.

—¿No le pediste nada más?

—Me dio una ampolla.

—Supongo que te pinchaste enseguida en un portal. ¿Eso fue todo? ¿Ya has vaciado el buche?

—No sé nada más.

—¿El doctor es también homosexual?

—No.

—¿Cómo lo sabes?

Philippe se encogió de hombros, como si la pregunta fuera demasiado ingenua.

—¿Tienes hambre?

—No.

—¿Y sed?

Al muchacho le temblaban los labios, pero no era ni alimento ni bebida lo que necesitaba.

Maigret se levantó como haciendo un esfuerzo y abrió una vez más la puerta de comunicación. Torrence estaba allí, por casualidad, ancho y poderoso, con aquellas manos de mozo de carnicero. Los tipos que ocasionalmente interrogaba no podían imaginarse que era un blando.

—Ven—le dijo el comisario—. Te vas a encerrar con este chico y no lo sueltes hasta que haya cantado todo lo que sabe. Da lo mismo si te lleva veinticuatro horas o tres días. Cuando estés cansado, que te releven.

Al verse perdido, Philippe protestó:

—Le he dicho todo lo que sabía. Me ha cogido a traición...—Luego, alzando la voz como una mujer llena de ira—: ¡Es usted un bestia...! ¡Es malo...! Es... es...

Maigret se hizo a un lado para dejarle pasar e intercambió un guiño con el corpulento Torrence. Los dos hombres cruzaron el enorme despacho de los inspectores y entraron en un cuarto al que en broma llamaban el cuarto de los cánticos, no sin que antes Torrence le lanzara a Lapointe:

—¡Ve a decir que me suban cerveza y bocadillos!

Ya a solas con sus colaboradores, Maigret se estiró, resolló, y le faltó poco para abrir la ventana.

—¿Qué hay, muchachos?

Se fijó sólo en que Lucas ya había vuelto.

—La señora está otra vez aquí, jefe, y está esperando para hablar con usted.

—Por cierto, ¿qué tal se ha portado?

—Como todas las viejas, les encanta enterrar a los demás. No ha habido que darle sales ni vinagre. Examinó el cadáver fríamente de pies a cabeza. En mitad de la operación tuvo un sobresalto y me preguntó: «¿Por qué la han depilado?». Le contesté que no habíamos sido nosotros y se quedó sin respiración. Me señaló la mancha de nacimiento en el talón izquierdo: «¡Mire! Pero aun sin eso, la reconocería». Luego, al salir, declaró sin preguntarme mi opinión: «Vuelvo con usted. Tengo que hablar con el comisario». Está en la antesala. Me parece que no vamos a librarnos de ella fácilmente.

El joven Lapointe acababa de descolgar el teléfono y al parecer no había buena comunicación.

—¿Es Niza?

Hizo un signo de que sí. Janvier no estaba. Maigret volvió a su despacho y tocó el timbre para decirle al ujier que hiciera entrar a la anciana señora de Lisieux.

—Al parecer tiene usted algo que decirme…

—No sé si será de su interés. He venido pensando por el camino. Ya se hará usted cargo. Resucitan aun sin querer los recuerdos. No querría pasar por una mala lengua.

—La escucho.

—Es acerca de Anne-Marie. Le dije esta mañana que se fue de Lisieux hace cinco años y que su madre no intentó nunca saber qué había sido de ella, lo cual, sea dicho entre nosotros, me parece monstruoso por parte de una madre.

No había más que esperar. De nada serviría meterle prisa.

—Se comentó mucho, claro. Lisieux es una ciudad pequeña donde todo acaba sabiéndose. Pues bien, una mujer que me inspira una total confianza y que va todas las semanas a Caen, porque tiene parte en un negocio, me aseguró por la vida de su marido que, poco antes de irse Anne-Marie, se la encontró en Caen, en el preciso momento en que la chica entraba en la consulta de un médico. —Se interrumpió, con aire de satisfacción, para seguir tras un suspiro—: Y no se trataba de un médico cualquiera, sino del doctor Potut, el tocólogo.

—Es decir, que usted sospecha que su sobrina se fue de la ciudad porque estaba embarazada.

—Eso es lo que se decía, y la gente se preguntaba quién podría ser el padre.

—¿Y se supo?

—Se barajaron varios nombres, había donde elegir. Pero yo siempre me quedé con mi idea, y por eso he vuelto a verle. Mi deber es ayudarle a descubrir la verdad, ¿no es así?

Empezaba a pensar que la policía no es tan curiosa como aseguran, pues Maigret no la ayudaba lo más mínimo, no la animaba a hablar, la escuchaba con la indiferencia de un anciano confesor adormilado tras su rejilla.

Y siguió, como si fuera cosa de capital importancia:

—Anne-Marie se resintió siempre de la garganta. Cada invierno tenía anginas una o varias veces, y la cosa no mejoró cuando le quitaron las amígdalas. Y recuerdo que, aquel año, a mi cuñada se le ocurrió llevarla a hacer una cura en La Bourboule, que son especialistas en el tratamiento de enfermedades de garganta.

Maigret recordó la voz algo ronca de Arlette, que había atribuido al alcohol, el tabaco y las noches en blanco.

—Cuando se fue de Lisieux, no se le notaba aún el embarazo, por lo que es de suponer que no debía de estar de más de tres o cuatro meses. Y eso como mucho. Sobre todo teniendo en cuenta que iba siempre muy ceñida. Pues bien, eso coincide exactamente con su estancia en La Bourboule. Yo juraría que fue allí donde conoció a alguien que le hizo un hijo, y es muy probable que se fuera para reunirse con él. Si hubiera sido alguien de Lisieux, la hubiera hecho abortar o se habría ido con ella.

Maigret encendió lentamente la pipa. Se sentía exhausto como tras una larga marcha, pero era la repugnancia. Y como cuando Philippe, le faltó poco para ir a abrir la ventana.

—Supongo que vuelve usted a su casa, ¿no?

—Hoy, no. Seguramente me quedaré unos días en París, tengo unos amigos con quien puedo alojarme. Le dejaré su dirección.

Era por el boulevard Pasteur. La dirección figuraba ya al dorso de una tarjeta de visita suya y había un número de teléfono.

—Puede llamarme si me necesita.

—Muchas gracias.

—Estoy a su disposición.

—Lo supongo.

La llevó hasta la puerta, sin una sonrisa, la cerró lentamente, se estiró y se frotó la cabeza con ambas manos suspirando a media voz:

—¡Cuánta basura!

—¿Puedo entrar, jefe?

Era Lapointe, que llevaba una hoja de papel en la mano y parecía muy excitado.

—¿Has pedido las cervezas?

—El camarero de la Brasserie Dauphine acaba de subir la bandeja.

Aún no la habían llevado al cuchitril de Torrence y Maigret cogió la caña, tan fresca, tan espumosa, y la vació de un lingotazo.

—¡Basta con llamar y que traigan más!

VII

Lapointe estaba diciendo, no sin algo de pelusa:

—Ante todo tengo que transmitirle, de parte del joven Julien, sus respetos y su afecto. Al parecer, usted ya lo entenderá.

—¿Está en Niza?

—Le han trasladado desde Limoges hace unas semanas.

Era el hijo de un viejo inspector que trabajó mucho tiempo con el comisario y se retiró en la Costa Azul. Cosas de la vida, Maigret no había vuelto a ver al joven Julien digamos que desde que le hacía saltar en sus rodillas.

—A él es a quien llamé anoche —prosiguió Lapointe— y es con él con quien sigo en contacto desde entonces. Cuando supo que era de su parte y que era para usted en definitiva que iba a trabajar, fue como si le dieran cuerda y está haciendo maravillas. Se ha pasado horas en un desván de la comisaría, revolviendo archivos viejos. Parece que hay montones de paquetes atados con cordel que contienen informes sobre casos que ya nadie recuerda. Está todo revuelto por el suelo y ya casi llega al techo.

—¿Ha encontrado el expediente del caso Farnheim?

—Acaba de darme por teléfono la lista de los testigos que fueron interrogados tras la muerte del conde. Le pedí sobre todo que me buscara la de los criados que trabajaban en El Oasis. Se la leo:

Antoinette Méjat, diecinueve años, doncella.
Rosalie Moncœur, cuarenta y dos años, cocinera.
Maria Pinaco, veintitrés años, pinche de cocina.
Angelino Luppin, treinta y ocho años, mayordomo.

Maigret esperaba, de pie junto a la ventana de su despacho, mirando caer la nieve, cuyos copos empezaban a espaciarse. Lapointe hizo una pausa, como un actor:

—«Oscar Bonvoisin, treinta y cinco años, ayuda de cámara y chofer».

—¡Un Oscar!—observó el comisario—. Supongo que no saben qué fue de esas personas, ¿no?

—Precisamente, al inspector Julien se le ha ocurrido una idea. Él no lleva mucho tiempo en Niza y le chocó ver cuántos extranjeros ricos que se instalan allí para unos meses alquilan casas bastante imponentes y viven a lo grande. Y se dijo que esa gente necesitaba encontrar criados de un día para otro. Y así es, ha descubierto una agencia de colocación especializada en el personal de casas importantes.

»La lleva una señora mayor hace más de veinte años. No recuerda al conde Von Farnheim, ni a la condesa. Tampoco se acuerda de Oscar Bonvoisin, pero hace un año apenas, colocó a la cocinera, que es cliente habitual suya. Rosalie Moncœur trabaja hoy día para unos sudamericanos que tienen una villa en Niza y pasan parte del año en París. Tengo su dirección, avenue d'Iéna, 132. Según esa señora, deben de estar ahora en París.

—¿Y no se sabe nada de los demás?

—Julien sigue en ello. ¿Quiere que vaya yo a verla, jefe?

Maigret estuvo a punto de decir que sí, por complacer a Lapointe, que ardía en deseos de interrogar a la antigua cocinera de los Farnheim.

—Voy a ir yo—decidió finalmente.

En el fondo, era sobre todo porque le apetecía tomar el aire, y de paso ir a beber otra cerveza, y escapar a la atmósfera de su despacho, que, aquella mañana, le había parecido asfixiante.

—Mientras tanto, ve a comprobar que no haya nada a

nombre de Bonvoisin en el Registro de Antecedentes. Tienes que mirar también las fichas de los *meublés*. Llama a los ayuntamientos y a las comisarías.

—OK, jefe.

¡Pobre Lapointe! A Maigret le remordía la conciencia, pero no tuvo valor para renunciar a su paseo.

Antes de salir, fue a abrir la puerta del cuchitril donde Torrence se había encerrado con Philippe. El corpulento Torrence se había quitado la chaqueta, pero aun así tenía gruesas gotas de sudor en la frente. Sentado al borde de una silla, Philippe, del color del papel, parecía a punto de desmayarse.

Maigret no necesitó hacer preguntas. Sabía que Torrence no abandonaría la partida y que estaba dispuesto a proseguir el ritornelo hasta la noche y hasta la mañana siguiente si hacía falta.

Menos de media hora después, un taxi se detenía ante un solemne inmueble de la avenue d'Iéna, y un portero, esta vez un varón, con uniforme oscuro, acogía al comisario en un hall con columnas de mármol.

Maigret dijo quién era, preguntó si Rosalie Moncœur trabajaba aún en la casa, y el otro le señaló la escalera de servicio.

—En el tercero.

Se había tomado otras dos cervezas por el camino y el dolor de cabeza se había evaporado. La escalera, estrecha, era de caracol, e iba contando los pisos a media voz. Llamó a una puerta marrón. Le abrió una mujer gruesa de pelo blanco, que le miró con asombro.

—¿La señora Moncœur?

—¿Para qué la quiere?

—Para hablar con ella.

—Soy yo.

Estaba ocupada en sus fogones y una chiquilla more-
nucha iba pasando una mezcla aromática por una tritu-
radora.

—Trabajó usted para el conde y la condesa Von Farnheim, si no me equivoco…

—¿Y usted quién es?

—Policía Judicial.

—¿No irá a decirme que está desenterrando aquella vieja historia?

—No exactamente. ¿Se ha enterado de que la condesa
ha muerto?

—A todos nos llega la hora. No lo sabía, no.

—Lo traían esta mañana los periódicos.

—¡Como si yo pudiera leer periódicos! ¡Con unos amos
que dan cenas de quince o veinte invitados casi cada día!

—La han asesinado.

—Tiene gracia.

—¿Por qué le parece que tiene gracia?

No le ofrecía asiento y proseguía su trabajo, hablándole
como lo haría a un proveedor. Era una mujer que a todas
luces las había visto de todos los colores y no se dejaba impresionar fácilmente.

—No sé por qué se lo digo. ¿Quién la ha matado?

—No se sabe aún, es lo que estoy tratando de aclarar. ¿Siguió usted trabajando para ella tras la muerte de su marido?

—Dos semanas nada más. No nos entendíamos.

—¿Por qué?

Sin dejar de vigilar la tarea de la chiquilla, y abriendo el
horno para rociar un trozo de ave, replicó:

—Porque no era un trabajo para mí.

—¿Quiere usted decir que no era una casa seria?

—Si lo prefiere. Me gusta mi trabajo, y espero que la gente se siente a la mesa a sus horas y sepan más o menos qué comen. Ya basta, Irma. Saca los huevos duros de la nevera y ve separando la clara de las yemas.

Abrió una botella de madeira y echó un buen chorro en una salsa que iba removiendo lentamente con una cuchara de palo.

—¿Se acuerda usted de Oscar Bonvoisin?

Entonces ella le miró con aire de decir: «¡Conque era ahí adonde quería ir a parar!». Pero se calló.

—¿Ha oído mi pregunta?

—No soy sorda.

—¿Qué clase de hombre era?

—Un ayuda de cámara. —Y, al ver que a él le asombraba el tono en que lo dijo—: No me gustan los ayudas de cámara. Son todos unos holgazanes. Y más si son también choferes. Se creen los únicos en la casa y se comportan peor que los amos.

—¿Era el caso de Bonvoisin?

—No recuerdo ya su apellido. Siempre le llamábamos Oscar.

—¿Cómo era?

—Guapo chico, y él lo sabía. En fin, hay a quien les gustan de ese tipo. No es mi caso, y no se lo ocultaba.

—¿Le hizo la corte?

—A su manera.

—¿Lo que significa que…?

—¿Por qué me pregunta todo esto?

—Porque necesito saberlo.

—¿Cree que pueda ser él quien ha matado a la condesa?

—Es una posibilidad.

De los tres, era Irma la más apasionada por la conversación: tan alterada estaba viéndose casi metida en un crimen de verdad que ya no sabía lo que hacía.

—¡Pero bueno! ¿No te acuerdas que las yemas hay que hacerlas en puré?

—¿Puede describírmelo físicamente?

—Como era entonces, sí. Pero no sé cómo es ahora.

Justo en ese momento brilló una chispa en su mirada, que a Maigret no se le pasó por alto, e insistió:

—¿Está segura? ¿No ha vuelto a verlo nunca?

—Eso estaba pensando exactamente. No estoy segura. Hace unas semanas fui a ver a mi hermano, que tiene un cafetín, y en la calle vi a un hombre al que me pareció reconocer. Él me miró también, con atención, como buscando en sus recuerdos. Y luego, de pronto, me dio la impresión de que echaba a andar muy deprisa mirando hacia otro lado.

—¿Pensó que era Oscar?

—No inmediatamente. Fue luego cuando se me ocurrió esa vaga idea, y ahora casi juraría que era él.

—¿Dónde está el café de su hermano?

—En la rue Caulaincourt.

—¿Y fue en una calle de Montmartre donde creyó reconocer al antiguo ayuda de cámara?

—Justo al doblar la esquina de la place Clichy.

—Ahora trate de decirme cómo era el hombre.

—No soy una chivata.

—¿Prefiere usted que un asesino quede en libertad?

—Si no ha matado más que a la condesa, no es mucho el mal.

—Si la ha matado él, ha matado por lo menos a otra más, y nada prueba que no vaya a seguir.

Ella se encogió de hombros.

—Peor para él, ¿no? No era muy alto. Más bien bajo. Y le daba tanta rabia que llevaba tacones altos como una mujer para aparentar más estatura. Yo le tomaba el pelo con eso y él entonces me miraba de mala manera, sin decir ni pío.

—¿No era muy hablador?

—Era un hombre reconcentrado, que no decía nunca lo que hacía ni lo que pensaba. Era muy moreno, con el pelo tupido y tieso que le salía a mitad de frente, y tenía unas cejas negras muy tupidas. Para algunas mujeres, eso le daba una mirada irresistible. No para mí. Te miraba fijamente con aire de estar muy satisfecho de sí mismo, de creer que no había más que él en el mundo, y que tú eras una mierda. Con perdón.

—No se preocupe. Continúe.

Ya puesta en el disparadero, olvidaba sus escrúpulos. No paraba de ir y venir por la cocina llena de buenos olores donde parecía hacer malabarismos con las cacerolas y los utensilios, echando de vez en cuando un vistazo al reloj eléctrico.

—Antoinette pasó por la piedra y estaba loca por él. Maria también.

—¿Se refiere a la doncella y la pinche de cocina?

—Sí. Y otras, que desfilaron por la casa antes de ellas. Era una casa donde los criados no duraban mucho. Nunca se sabía si era el viejo o la condesa quien mandaba. ¿Entiende lo que quiero decir? Oscar no les hacía la corte, por decirlo como usted hace un momento. En cuanto veía a una sirvienta nueva, le bastaba con mirarla como si tomara posesión.

»Luego, la primera noche, subía donde ella y se metía en su cuarto como si ya hubieran quedado en eso.

»Hay más como él, que creen que nadie se les resiste.

»Antoinette lloró bastante.

—¿Por qué?

—Porque de veras estaba enamorada y algún tiempo creyó que se casaría con ella. Pero él, cuando ya tenía lo que buscaba, daba media vuelta y adiós. Al día siguiente ni se volvía a acordar de ellas. Nunca una frase amable. Nunca una atención. Hasta que le daba otra vez por ahí y subía a buscarlas.

»Y aun así tenía tantas como quisiera, y no sólo criadas.

—¿Usted cree que tuvo relaciones con el ama?

—Ni dos días habían pasado desde que murió el conde.

—¿Cómo lo sabe?

—Porque le vi salir de su habitación a las seis de la mañana. Fue en parte por eso por lo que me fui. Cuando los criados duermen en la cama de los amos, eso es ya lo último.

—¿Se comportaba como si fuera el amo?

—Hacía lo que quería. Daba la sensación de que ya no había nadie para mandarle.

—¿Nunca se le pasó por la cabeza que al conde pudieron asesinarlo?

—Yo en eso no me meto.

—Pero ¿lo pensó?

—¿No lo pensó también la policía? ¿Por qué si no iban a interrogarnos, entonces?

—¿Habría podido ser Oscar?

—Yo no he dicho eso. Ella era probablemente tan capaz como él.

—¿Siguió usted trabajando en Niza?

—En Niza y en Montecarlo. Me gusta el clima del Midi, y sólo por casualidad, y por seguir a mis amos, estoy en París.

—¿No volvió a oír hablar de la condesa?

—Una o dos veces la vi de pasada, pero no frecuentábamos los mismos lugares.

—¿Y a Oscar?

—Allí no le volví a ver nunca. No creo que se quedara en la Costa Azul.

—Pero a usted le pareció verle hace unas semanas. Descríbamelo.

—Cómo se ve que es usted de la policía. Como si cuando uno se encuentra a alguien por la calle no tuviera nada más urgente que hacer que tomar sus señas de identidad.

—¿Se le ve más viejo?

—Está como yo. Tiene quince años más.

—Lo que le echa unos cincuenta.

—Yo tengo casi diez años más que él. Dos o tres años más trabajando para otros y me retiro, y me voy a una casita que compré en Cagnes y donde no guisaré más que lo que me coma. Huevos al plato y chuletitas.

—¿No recuerda cómo iba vestido?

—¿En la place Clichy?

—Sí.

—Iba más bien de oscuro. No diría que de negro, pero sí de oscuro. Llevaba un abrigo grueso y guantes. Me fijé en los guantes. Iba muy elegante.

—¿Y el pelo?

—No iba a pasearse, en pleno invierno, sombrero en mano.

—¿Se le veía gris, en las sienes?

—Creo que sí. No fue eso lo que me chocó.

—¿Qué fue?

—Que ha engordado. Antes, ya era ancho de hombros. Se paseaba expresamente con el torso desnudo, porque era extraordinariamente musculoso y a algunas mujeres las impresionaba. No le hubiera uno dicho tan fuerte viéndole vestido. Ahora, si el que vi era él, tiene un poco el aspecto de un toro. Se le ha hecho el cuello más ancho, y parece más bajo aún.

—¿Nunca tuvo noticias de Antoinette?

—Murió. No mucho después.

—¿De qué?

—De un aborto. Por lo menos eso me dijeron.

—¿Y Maria Pinaco?

—No sé si seguirá: la última vez que la vi, hacía la calle en el cours Albert-Ier, en Niza.

—¿Hace mucho?

—Dos años. A lo mejor un poco más. —Sólo tuvo la curiosidad de preguntar—: ¿Cómo han matado a la condesa?

—Estrangulándola.

No dijo nada, pero pareció encontrar que la cosa cuadraba con el carácter de Oscar.

—Y la otra, ¿quién es?

—Una chica que usted no debía de conocer, porque no tenía más que veinte años.

—Gracias por recordarme que soy una anciana.

—No he querido decir eso. Era originaria de Lisieux y nada indica que haya vivido en el Midi. Todo cuanto sé es que fue a La Bourboule.

—¿Cerca del Mont-Doré?

—En Auvernia, sí.

A esto, se quedó mirando a Maigret con ojos que iban más lejos con el pensamiento.

—Ahora ya, como ya he empezado a chivarme…—murmuró—. Oscar era originario de Auvernia. No sé exactamente de dónde, pero tenía una chispa de acento, y, cuando quería hacerle rabiar, le llamaba *bougnat*, patán auverñés. Se ponía pálido. Y ahora, si no le importa, preferiría que se largara, porque mi gente se sienta a la mesa dentro de media hora y necesito toda la cocina.

—Volveré quizá a verla.

—¡Mientras no sea más desagradable que hoy! ¿Cómo se llama usted?

—Maigret.

Vio el respingo de la pequeña, que debía de leer los periódicos, pero la cocinera seguro que no había oído nunca hablar de él.

—¿Como magro? Un apellido fácil de recordar. Sobre todo porque usted es más bien gordo. Y mire, para terminar ya con Oscar, él ahora es más o menos tan entradito en carnes como usted, pero usted le saca la cabeza. ¿Se lo imagina?

—Muchas gracias.

—De nada. Sólo que, si le detienen, preferiría que no me citaran como testigo. A los amos nunca les gusta. Y los abogados te hacen montones de preguntas tratando de ponerte en ridículo. Pasé por ello una vez y me juré que no me volverían a pillar. Así que no cuente conmigo.

Cerró tranquilamente la puerta tras él y Maigret tuvo que bajar toda la avenida antes de encontrar un taxi. En vez de pedir que le llevaran al quai des Orfèvres, pasó por su casa a comer. Llegó a la Policía Judicial hacia las dos y media y la nieve había dejado de caer completamente, las calles estaban cubiertas de una delgada capa de fango negruzco y resbaladizo.

Cuando abrió la puerta del cuchitril, estaba lleno de humo azul y había una veintena de colillas en el cenicero. Era Torrence quien había estado fumando, pues Philippe no fumaba. En una bandeja había restos de bocadillos y cinco vasos de cerveza vacíos.

—¿Vienes un momento?

Una vez en el despacho contiguo, Torrence se secó el sudor, aflojó un poco los músculos y suspiró.

—Me agota, ese chico. Es más blando que un trapo pero no hay por dónde agarrarlo. Por dos veces, creí que iba a hablar. Estoy seguro de que va a decir algo. Parece haber agotado la resistencia. Con la mirada implora gracia. Y luego, en el último instante, cambia de parecer y jura otra vez que él no sabe nada. No puedo más. Hace un rato, me hizo perder tanto la paciencia que le estampé la mano en plena cara. ¿Sabe lo que hizo?

Maigret callaba.

—Se puso a lloriquear cogiéndose la mejilla, y como si se dirigiera a otro marica como él: «¡Es usted muy malo!». No tengo que replicarle, porque apuesto que le excita.

Maigret no pudo contener una sonrisa.

—¿Continúo?

—Sigue intentándolo. Dentro de poco, quizá probemos otra cosa. ¿Ha comido?

—Le ha dado unos mordisquitos a un sándwich con la punta de los dientes, con el meñique en alto. Está muy claro que necesita droga. A lo mejor si le diera se avendría a razones. Deben de tener, los de la brigada de estupefacientes.

—Hablaré con el jefe. Pero ahora no hagas nada. Sigue acosándole.

Torrence miró en torno aquel ambiente suyo familiar, y respiró hondo una amplia bocanada de aire antes de hundirse nuevamente en la atmósfera deprimente del cuchitril.

—¿Hay novedad, Lapointe?

La verdad es que Lapointe no había soltado el teléfono desde por la mañana, y que sólo había comido, como Torrence, un bocadillo con una cerveza.

—Una docena de Bonvoisins, pero ningún Oscar Bonvoisin.

—Prueba de que te pongan con La Bourboule. A lo mejor tienes más suerte.

—¿Le han dado algún soplo?

—Podría ser.

—¿La cocinera?

—Cree haberle visto en París últimamente, y lo que es más interesante, en Montmartre.

—¿Y por qué La Bourboule?

—Ante todo porque él es auvernés, y luego porque Arlette parece que tuvo allí un encuentro importante hace cinco años.

Maigret no estaba muy convencido.

—¿Lognon no ha dado señales de vida?

Él mismo llamó a la comisaría de la rue de La Rochefoucauld, pero el inspector Lognon sólo había pasado por allí un instante.

—Ha dicho que estaba trabajando para usted y que andaría fuera todo el día.

Maigret se pasó un cuarto de hora paseándose de arriba abajo por su despacho y fumando su pipa. Luego pareció tomar una decisión y se encaminó al despacho del director de la Policía Judicial.

—¿Qué me cuenta, Maigret? No vino al informe, esta mañana.

—Estaba durmiendo—confesó con sencillez.

—¿Ha visto el periódico en esta última edición?

Él hizo un ademán muy significativo de que no le interesaba.

—Se preguntan si va a haber más mujeres estranguladas.

—No creo.

—¿Por qué?

—Porque no es un maníaco quien mató a la condesa y a Arlette. Al contrario, es un hombre que sabe perfectamente lo que ha hecho.

—¿Ha descubierto su identidad?

—Puede ser. Es probable.

—¿Supone usted que lo detendrá hoy?

—Habría que saber dónde se esconde y no tengo ni la menor idea. Es más que probable que sea en algún punto de Montmartre. Y sólo en un caso podría haber otra víctima.

—¿Y es?

—Si Arlette se lo hubiera dicho a alguien más. Si, por

132

ejemplo, le hubiera hecho confidencias a alguna de sus amigas del Picratt's, a Betty o a Tania.

—¿Las ha interrogado?

—Callan. El dueño, Fred, calla. El Saltamontes calla. Y esa larva enfermiza de Philippe calla también, pese a un interrogatorio que dura desde esta mañana. Pero ése sabe algo, pondría la mano en el fuego. Veía regularmente a la condesa. Era ella quien le proveía de morfina.

—¿Dónde la obtenía ella?

—A través de su médico.

—¿Le ha detenido?

—Aún no. Eso compete a la brigada de estupefacientes. Y me pregunto, desde hace más de una hora, si debo o no correr un riesgo.

—¿Qué riesgo?

—El de encontrarme con otro cadáver entre manos. Sobre eso vengo a pedirle consejo. No me cabe duda de que con métodos ordinarios acabaremos echándole la mano encima al tal Bonvoisin, que es el más que probable asesino de ambas mujeres. Pero puede llevarnos días o semanas. Es más cuestión de azar que de otra cosa. Y, si no me equivoco mucho, el tipo es listo. De aquí a que le pusiéramos las esposas, podría ser que liquidara a una o varias personas que saben demasiado.

—¿Qué riesgo querría usted correr?

—Yo no he dicho que quisiera.

El director sonrió.

—Explíquese.

—Si, como yo estoy convencido, Philippe sabe algo, Oscar, en este momento, debe de estar inquieto. Me basta con informar a la prensa de que se le ha estado interrogando varias horas sin resultado, y luego soltarle.

—Empiezo a comprender.

—Una primera posibilidad es que Philippe se precipite a casa de Oscar, pero no estoy muy seguro. A menos que sea el único medio, para él, de procurarse la droga que ya empieza a hacerle una falta terrible.

—¿Y la otra posibilidad?

El jefe ya había adivinado.

—Usted ha comprendido. De un drogadicto no puede uno fiarse. Philippe no ha hablado, pero eso no significa que siga callando, y Oscar lo sabe.

—E intentará liquidarlo.

—*Voilà!* No he querido jugar esa baza sin decírselo a usted.

—¿Cree que podrá impedir que le maten?

—Me propongo tomar toda clase de precauciones. Bonvoisin no es hombre de revólveres. Hacen mucho ruido y a él no parece gustarle el ruido.

—¿Cuándo piensa usted soltar al testigo?

—Al caer la noche. Será más fácil establecer una discreta vigilancia. Pondré en seguimiento suyo tantos hombres como haga falta. Y a fe mía que, si ocurre un accidente, para mí que no sería una gran pérdida.

—Pero preferiría que no.

—Lo mismo digo.

Los dos guardaron silencio unos instantes. Finalmente, el director de la Policía Judicial se limitó a suspirar:

—El caso es suyo, Maigret. Buena suerte.

—Estaba usted en lo cierto, jefe.

—¡Cuenta!

Lapointe se sentía tan feliz de desempeñar un papel importante en una investigación que casi se le olvidaba la muerte de Arlette.

—Me han dado la información enseguida. Oscar Bonvoisin nació en Le Mont-Doré, donde su padre era portero de un hotel y su madre doncella en el mismo establecimiento. Él también debutó allí como botones. Luego dejó su tierra, y no volvió hasta hará unos diez años y se compró un chalet, no en Le Mont-Doré, sino al ladito, en La Bourboule.

—¿Vive allí habitualmente?

—No. Pasa parte del verano y, a veces, en invierno, unos cuantos días.

—¿No está casado?

—Sigue soltero. Su madre vive todavía.

—¿En el chalet de su hijo?

—No. Ella tiene un pisito en la ciudad. Parece que él corre con sus gastos. En opinión de todos ganó mucho dinero y goza de muy buena posición en París.

—¿Y las señas de identificación?

—Coinciden.

—¿Tú querrías encargarte de una misión de confianza?

—Lo sabe usted muy bien, jefe.

—¿Incluso con bastante peligro y significando para ti una enorme responsabilidad?

Su amor por Arlette debió asaltarle nuevamente como una ráfaga de aire cálido, porque dijo con un ardor algo excesivo:

—Me da igual que me maten.

—¡Bueno! No se trata de eso, sino de impedir que maten a otro. Y para eso es indispensable que tú no tengas pinta de inspector de policía.

—¿Cree usted que la tengo?

—Pasa al vestuario. Elige la ropa de un parado profesional que busca trabajo con la esperanza de no encontrarlo. Ponte una gorra en vez de sombrero. Y sobre todo, sin pasarse.

Janvier había vuelto, y le dio instrucciones parecidas.

—Que te tomen por un empleado al regreso de su trabajo.

Luego fue a buscar a dos inspectores que Philippe aún no había visto.

Los reunió a los cuatro en su despacho, y delante de un plano de Montmartre, les explicó lo que esperaba de ellos.

El día declinaba rápidamente. Las luces del quai y del boulevard Saint-Michel estaban ya encendidas.

Maigret dudó si esperar a la noche, pero sería más difícil seguir a Philippe sin llamar su atención, y sobre todo la de Bonvoisin, en las calles desiertas.

—¿Quieres venir un momento, Torrence?

Él estalló:

—¡Me rindo! Me da ganas de vomitar, el chico ése. Que venga otro a ver si tiene mejor estómago, porque lo que es yo...

—Dentro de cinco minutos habrás terminado.

—¿Lo soltamos?

—En cuanto salga la quinta edición de los periódicos.

—¿Qué tienen que ver con él los periódicos?

—Van a publicar que se le ha estado interrogando durante horas sin ningún resultado.

—Entiendo.

—Ve a vapulearlo un poco más. Luego le pones el sombrero en la cabeza y lo pones de patas en la calle diciéndole que se ande con cuidado.

—¿Le devuelvo su jeringa?

—Su jeringa y su dinero.

Torrence miró a los cuatro inspectores que estaban esperando.

—¿Por eso van con esa vestimenta de carnaval?

Uno de los hombres fue a buscar un taxi, en el que se

emboscó a poca distancia de la entrada de la Policía Judicial. Los demás fueron a apostarse en puntos estratégicos.

A Maigret mientras le dio tiempo de ponerse en contacto con la brigada de estupefacientes y con la comisaría de la rue La Rochefoucauld.

Por la puerta del cuchitril, que había dejado entreabierta expresamente, se oía la voz tonante de Torrence, que con toda su alma seguía gritándole en la cara a Philippe todo lo que pensaba de él.

—Ni con pinzas te voy a tocar, ¿entiendes? Por miedo a que te guste. Y ahora, voy a tener que hacer fumigar el despacho. Coge esa mugre que te hace de abrigo. Y ponte el sombrero.

—¿Quiere decir que puedo irme?

—Lo que digo es que estoy ya harto de verte, que todos estamos ya hartos de verte. Estamos hasta las narices, ¿entiendes? ¡Recoge tus porquerías y esfúmate, escoria humana!

—¡Sin empujar!

—¡No te estoy empujando!

—¡Me está gritando!

—¡Largo de aquí!

—Ya me largo… Ya me largo… Gracias.

Se abrió una puerta, y volvió a cerrarse de un portazo. El pasillo de la Policía Judicial, en aquel momento, estaba desierto, con sólo dos o tres personas esperando en la antesala, mal iluminada.

La silueta de Philippe se perfiló en una larga perspectiva polvorienta en la que parecía un insecto buscando una salida.

Maigret, que le acechaba por la fina rendija de su puerta, lo vio finalmente empezar a desaparecer por el hueco de la escalera.

La verdad es que tenía el corazón algo encogido. Cerró de nuevo la puerta y se volvió a Torrence, que estiraba sus músculos como un actor al volver al camerino, y que vio claramente que estaba preocupado, inquieto.

—¿Usted cree que van a liquidarle?

—Tengo la esperanza de que lo intenten, pero no lo consigan.

—Lo primero que hará será precipitarse adonde crea poder hallar morfina.

—Sí.

—¿Sabe usted adónde?

—A casa del doctor Bloch.

—¿Y le va a dar?

—Yo he ordenado prohibirle que le dé y no se atreverá a desobedecer.

—Y entonces ¿qué?

—No lo sé. Subo a Montmartre. Los hombres saben dónde contactarme. Tú quédate aquí. Si hubiera algo, telefónea me al Picratt's.

—O sea que me toca otra vez comer de bocadillo. No importa. ¡Con tal de que no sea en *tête-à-tête* con ese maricón!

Maigret se puso el abrigo y el sombrero, cogió dos pipas frías de encima de su mesa y se las metió en los bolsillos.

Antes de coger un taxi que le llevara a Pigalle, hizo una parada en la Brasserie Dauphine y se tomó una copa de brandy. Ya se le había pasado completamente la resaca, pero empezaba a presentir que se anunciaba otra para el día siguiente.

VIII

Por fin habían retirado de la vitrina las fotografías de Arlette. La sustituía otra chica, que debía de hacer el mismo número, y quizá con el vestido que llevaba la otra, pero Betty tenía razón, era un papel difícil, por joven y regordeta que fuera la chica, y hasta bonita, lo cierto es que tenía, en la fotografía incluso, y en su ademán al desnudarse, una vulgaridad provocativa que recordaba las postales obscenas, y también algo a las desnudeces burdamente pintadas que se balancean en la lona de las barracas de feria.

A Maigret le bastó empujar la puerta. Había una lámpara encendida en la barra, y otra al fondo de la sala, con una larga zona de penumbra en medio. Y, al fondo, Fred, con un jersey blanco de cuello de cisne y unas gruesas gafas de concha, estaba leyendo el periódico de la tarde.

El local era tan exiguo que los Alfonsi, durante el día, tenían que usar el cabaret como comedor y salón. A la hora del aperitivo, ¿vendrían sin duda algunos clientes, que fueran más bien amigos, a tomar una copa en el bar?

Fred miró por encima de los cristales a Maigret que avanzaba hacia él, no se levantó, le tendió su enorme manaza y le indicó con un gesto que se sentara.

—Ya me imaginaba que vendría—dijo.

No explicó por qué. Maigret no se lo preguntó, Fred terminó de leer la crónica sobre la investigación en curso, se quitó las gafas y preguntó:

—¿Qué quiere tomar? ¿Un brandy?

Fue a poner dos copas y volvió a sentarse con un suspiro de satisfacción, como quien está a gusto en su casa. Los dos oían pasos por encima de sus cabezas.

—¿Su mujer está arriba?—preguntó el comisario.

—Está dándole lecciones a la nueva.

Maigret se guardó bien de sonreír ante la idea de la gorda Rose haciéndole una demostración de *striptease* a la chica.

—¿A usted no le interesa?—le preguntó a Fred.

Él se encogió de hombros.

—La chiquilla es mona. Tiene los pechos más bonitos que Arlette, y la piel más fresca. Pero no es lo mismo.

—¿Por qué trató de hacerme creer que sólo tuvo relaciones con Arlette en la cocina?

No pareció sentirse incómodo.

—¿Ha estado preguntando a los dueños de *meublés*? No tenía más remedio que decirle eso, por mi mujer. La hubiera hecho sufrir inútilmente. Está siempre con la idea de que la dejaré un día u otro por una más joven.

—¿No la habría dejado, por Arlette?

Fred miró a Maigret bien de frente.

—Si ésa me lo hubiera pedido, sí.

—¿Le tenía loco?

—Llámelo como quiera. He tenido cientos de mujeres en mi vida, probablemente miles. Nunca me tomé el trabajo de contarlas. Pero no he conocido ni una sola como ella.

—¿Le propuso vivir con usted?

—Le di a entender que no me desagradaría y que a ella no le iba ir mal.

—¿Lo rechazó?

Fred suspiró, y echó un trago de alcohol, tras mirar al trasluz su copa.

—Si no me hubiera rechazado, probablemente aún estaría viva. Sabe usted tan bien como yo que ella tenía alguien. En qué términos estaban, no he podido descubrirlo todavía.

—¿Lo intentó?

—Hasta la seguí a veces.

—¿Sin éxito?

—Era más lista que yo. ¿Y usted qué está tramando ahora con el mariquita ese?

—¿Conoce usted a Philippe?

—No. Pero conozco a unos cuantos como él. De vez en cuando, los hay que se aventuran por el Picratt's, pero es una clientela que prefiero evitar. ¿Cree que le dará resultado?

Ahora era a Maigret a quien le tocaba dar la callada por respuesta. Fred, evidentemente, había entendido. Casi era del oficio. Uno y otro trabajaban un poco de la misma manera, sólo que con métodos distintos, y por otras razones.

—Hay cosas que no me dijo, sobre Arlette—musitó en voz baja el comisario.

Y una leve sonrisa flotó en los labios de Fred.

—¿Adivina qué?

—Adivino qué clase de cosas.

—Vale más aprovechar ahora que mi mujer está arriba. Aunque la pobrecita esté muerta, prefiero no hablar mucho de ella delante de la Rose. En el fondo, se lo digo a usted en confianza, creo que no la dejaré nunca. Estamos tan acostumbrados el uno al otro que no podría pasarme sin ella. Aunque me hubiera ido con Arlette, probablemente habría vuelto.

Sonó el timbre del teléfono. No había cabina. El aparato estaba en el lavabo de delante de los váteres y Maigret se dirigió hacia allí diciendo:

—Es para mí.

No se equivocaba. Era Lapointe.

—Estaba usted en lo cierto, jefe. Ha ido inmediatamente a casa del doctor Bloch. Cogió el autobús, se estuvo sólo unos minutos arriba y volvió a salir algo más pálido. De momento, se dirige hacia la place Blanche.

—¿Todo va bien?

—Todo va bien. No se preocupe.

Maigret fue otra vez a sentarse y Fred no le hizo ninguna pregunta.

—Me estaba usted hablando de Arlette.

—Siempre pensé que era una chiquilla de buena familia que un día tuvo un pronto y se fue de casa. La verdad es que fue la Rosa quien primero me hizo notar ciertos detalles en los que yo no había reparado. Yo sospechaba también que era más joven de lo que decía. Seguramente se cambió el carnet con alguna amiga mayor que ella.

Fred hablaba despacio, como quien resucita recuerdos agradables, y ambos tenían ante sí, como un túnel, la larga perspectiva del cabaret en penumbra, y al final de todo, cerca de la puerta, la caoba del bar reluciendo a la luz de la lámpara.

—No es fácil de explicar lo que quiero decir. Hay chicas que saben por instinto las cosas del sexo, y he conocido vírgenes más viciosas que viejas profesionales. Arlette, era diferente.

»No sé quién sería el tipo que la inició, pero ¡chapó! Y entiendo de eso, ya se lo he dicho, y cuando aseguro que no he conocido a otra mujer como ella, puede creerme.

»No sólo le enseñó todo, sino que me di cuenta de que había cosas que no sabía ni yo. A mi edad, figúrese. ¡Con la vida que yo he llevado! ¡Me dejó de piedra!

»Y ella lo hacía por gusto, pondría la mano en el fuego. No sólo lo de acostarse con cualquiera, sino también su número, que desgraciadamente usted no llegó a ver.

»He conocido a mujeres de treinta y cinco o cuarenta años, la mayoría unas chaladas, a las que les divertía excitar a los hombres. Y he conocido a chiquillas que jugaban con fuego. Ninguna como ella. Ninguna con ese ardor.

»No me estoy explicando, ya lo sé, pero no es posible hacer entender exactamente lo que pienso.

»Usted me interrogó a propósito de un tal Oscar. No sé si existe. No sé quién es. Lo que sí es seguro es que Arlette había caído en manos de alguien y que la tenía bien atrapada.

»¿Usted cree que de pronto se hartó de él y le vendió?

—Cuando, a las cuatro de la madrugada, se fue a la comisaría de la rue La Rochefoucauld, ella sabía que iba a cometerse un crimen y que se trataba de una condesa.

—¿Y por qué contó que se había enterado aquí, asegurando que oyó por casualidad una conversación entre dos hombres?

—Ante todo, estaba borracha. Probablemente porque había bebido se decidió a dar ese paso.

—¿O a lo mejor bebió para tener el valor de hacerlo?

—Me pregunto—murmuró Maigret—si su trato con el joven Albert…

—¡No me hable! Me he enterado de que es uno de sus inspectores.

—Tampoco yo lo sabía. Estaba enamorado de veras.

—Ya me di cuenta.

—Ninguna mujer pierde por completo su lado, digamos, romántico. Él insistía en hacerla cambiar de vida. Se habría casado con ella si ella hubiera querido.

—¿Y usted cree que eso pudo asquearla de su Oscar?

—En cualquier caso, se rebeló, y fue a comisaría. Sólo que no quería decir demasiado todavía. Le daba una oportunidad de salir bien parado, al no dar más que una vaga descripción y un nombre de pila.

—De todos modos, ¡qué valor! ¿No cree?

—Y quizá, hablando ya con la policía, se arrepintió de su impulso. Debió de sorprenderla que la retuvieran, que la mandaran al quai des Orfèvres, y le dio tiempo a dormir la mona. Y entonces se expresó ya con mucha menos precisión, y le faltó poco para declarar que había hablado sin ton ni son.

—Como todas las mujeres, en efecto…—asintió Fred—. Lo que me pregunto es cómo se enteró el tío. Porque llegó a la rue Notre-Dame-de-Lorette antes que ella, estaba allí esperándola.

Maigret miró su pipa sin decir palabra.

—Apuesto a que—prosiguió Fred—usted se imaginó que yo le conocía y no había querido decir nada.

—Tal vez.

—Y hasta se le pasó por la cabeza en un momento si era yo.

Ahora fue Maigret quien sonrió.

—Yo me he preguntado—añadió el dueño del Picratt's—si la pequeña no lo haría a propósito, lo de dar una descripción que coincidía un poco conmigo. Precisamente porque su hombre es completamente distinto.

—No. La descripción le va.

—¿Le conoce?

—Se llama Oscar Bonvoisin.

Fred no rechistó. El nombre no le decía evidentemente nada.

—¡Es un rato listo!—dejó caer—. Sea quien sea, chapó. Creí que conocía Montmartre a fondo. Hablé con el Saltamontes, que anda siempre hurgando por los rincones. Hará unos dos años que Arlette trabajaba conmigo. Ella vivía a unos cientos de metros de aquí. Y como le acabo de confesar, la seguí alguna vez, porque me intrigaba. ¿No le parece extraordinario que yo no supiera nada de ese tipo?

—Le dio un manotazo al periódico abierto en la mesa—. Y frecuentaba también a esa loca de condesa. Las mujeres como ella no pasan desapercibidas. Es un medio completamente aparte, donde todo el mundo se conoce más o me-

144

nos. Y diría que ni sus hombres saben más que yo. Hace poco ha estado aquí Lognon intentando sonsacarme, pero perdía el tiempo.

El teléfono, otra vez.

—¿Es usted, jefe? Estoy en el boulevard Clichy. Ha entrado en la cervecería de la esquina de la rue Lepic y ha recorrido las mesas como si buscara a alguien. Parecía decepcionado. Al lado hay otra cervecería, y ha empezado por pegar la cara a la ventana. Ha entrado y se ha dirigido al baño. Janvier ha ido detrás de él y le ha preguntado a la señora de los lavabos. Al parecer quería saber si un tal Bernard no había dejado un recado para él.

—¿Te ha dicho ella quién es Bernard?

—Asegura que no sabe de quién se trata.

De algún traficante de estupefacientes, evidentemente.

—Ahora va camino de la place Clichy.

Apenas había colgado cuando el teléfono ya sonaba de nuevo, y esta vez era la voz de Torrence.

—Oiga, jefe, al entrar al cuchitril para ventilarlo, he tropezado con la maleta del maldito Philippe. No hemos pensado en devolvérsela. ¿Cree usted que vendrá a buscarla?

—No antes de encontrar droga.

Cuando Maigret volvió a la sala, estaban allí la señora Rose y la joven que sustituía a Arlette, ambas en el centro de la pista. Fred se había cambiado de sitio y se había sentado en un box, como un cliente. Hizo señal a Maigret de que hiciera lo mismo.

—¡Están ensayando!—anunció guiñándole un ojo.

La chica, muy joven, tenía el pelo rubio y muy rizado, y una piel rosada como un bebé o una muchacha campesina. Y como éstas tenía también la carne prieta, la mirada ingenua.

—¿Empiezo ya?—preguntó.

No había música, ni focos. Fred se había limitado a encender otra luz encima de la pista. Y se puso a tararear, llevando con la mano el ritmo, la melodía al son de la cual solía Arlette desnudarse.

Y la Rose, tras un saludo a Maigret, le iba explicando por signos a la muchacha lo que tenía que hacer.

Torpemente, ésta esbozaba lo que querían ser pasos de danza, bamboleándose cuanto podía, y luego, con una lentitud deliberada, empezaba a soltar los corchetes del largo *fourreau* negro con que iba vestida y que le habían ajustado a su talla.

Fred miraba al comisario de modo bien elocuente. Ni el uno ni el otro se reían, y hacían esfuerzos por no sonreír. Los hombros, y luego un pecho, que sorprendía enormemente ver desnudo en aquel ambiente, iban emergiendo del tejido.

La mano de Rose indicaba una pausa y la joven mantenía los ojos fijos en aquella mano.

—Una vuelta completa a la pista...—ordenaba Fred, que reemprendía en el acto su tarareo—. No tan deprisa... Tra la la lá... ¡Bien...!

Y la mano de Rose decía: «El otro pecho...».

Los pezones eran gruesos y rosados. El vestido seguía resbalando, descubriendo la sombra del ombligo, y finalmente la muchacha, con un gesto torpe, la dejaba caer del todo, y se quedaba desnuda en el centro de la pista, con las dos manos sobre el pubis.

—Ya basta por hoy—suspiró Fred—. Puedes ir a vestirte, hijita.

Ella se fue hacia la cocina tras recoger el vestido. La Rose se sentó un momento con ellos.

—¡Habrán de conformarse! No me veo capaz de sacarle nada mejor. Lo hace como quien se toma un café. Qué amable, comisario, que venga a vernos. —Era sincera, lo decía tal como lo sentía—: ¿Cree que encontrará al asesino?

—El señor Maigret espera ponerle la mano encima esta noche.

Ella los miró a los dos, le dio la sensación de estar de más, y se encaminó a la cocina anunciando:

—Voy a hacer algo de comer. ¿Tomará un bocadito con nosotros, comisario?

No dijo que no. Aún no tenía la menor idea. Había elegido el Picratt's como base de operaciones, y también, en parte, porque se encontraba a gusto. En el fondo, en otro ambiente, ¿el joven Lapointe se habría enamorado de Arlette?

Fred fue a apagar las luces de la pista. Ambos oían a la muchacha ir y venir por encima de sus cabezas. Luego bajó, y fue a reunirse con Rose en la cocina.

—¿Qué íbamos diciendo?

—Estábamos hablando de Oscar.

—Supongo que habrá buscado ya en todos los *meublés*...

No valía la pena ni contestar.

—¿Y él tampoco visitaba a Arlette en su casa?

Habían llegado al mismo punto, porque los dos conocían el barrio y la vida que lleva su gente.

Si Oscar y Arlette estaban en íntima relación, forzosamente habían de verse en algún sitio.

—¿No la llamaban nunca por teléfono, aquí?—preguntó Maigret.

—No me fijaba, pero, si hubiera sido a menudo, lo habría notado.

Ahora bien, ella no tenía teléfono en su apartamento. Y según la portera, no la visitaban hombres, y esa portera era seria, cosa que no podía decirse de la de la rue Victor-Massé.

Lapointe había expurgado las fichas de los *meublés*. Janvier había hecho la ronda de todos, y a conciencia, porque encontró el rastro de Fred.

Hacía ya más de veinticuatro horas que la fotografía de Arlette había salido en los periódicos, y nadie había declarado aún haberla visto entrar regularmente en ningún sitio.

—No me desdigo de lo dicho: ¡es un lince, el tío!

El entrecejo fruncido de Fred mostraba bien a las claras que pensaba lo mismo que el comisario: el famoso Oscar, por decirlo pronto, no encajaba en las habituales clasificaciones. Cabían todas las posibilidades de que viviera en el barrio, pero no formaba parte de él.

Era en vano tratar de situarlo, imaginar su modo de vida.

A juzgar por lo que sabían, era un solitario, y eso es lo que más les impresionaba a los dos.

—¿Cree usted que intentará liquidar a Philippe?

—Lo sabremos antes de mañana por la mañana.

—He entrado en el bar-tabac de la rue de Douai. Son colegas míos. Yo creo que nadie conoce el barrio como esa gente. Según las horas, tienen todo tipo de clientela. Pues nada, en la inopia ellos también.

—Y sin embargo, Arlette se veía con él en algún sitio.

—¿En casa de él?

Maigret habría jurado que no. Era un poco ridículo. Por el hecho de no saber nada de él, la figura de Oscar adquiría unas proporciones tremendas. Acababa uno por dejarse impresionar por el misterio que le rodeaba, y tal vez le atribuían más inteligencia de la que poseía.

Pasaba con él como con las sombras, siempre más alucinantes que la realidad a que remiten.

Al fin y al cabo, no era más que un hombre, un hombre de carne y hueso, un ex chofer y ayuda de cámara a quien siempre gustaron las mujeres.

La última vez que se le vio con visos de realidad, fue en

Niza. Era verosímil que hubiera sido él quien le hizo un hijo a la doncella, la pequeña Antoinette Méjat, que murió de resultas de aquello, y también se acostaba con Maria Pinaco, que hacía la calle ahora.

Y unos cuantos años después, se compraba una villa cerca del lugar en que nació, una reacción muy normal en un hombre de baja extracción que de pronto se ve con dinero. Volvía al lugar de sus orígenes para exhibir su reciente fortuna a la vista de cuantos conocieron su humilde condición.

—¿Es usted, jefe?

Otra vez el teléfono. La fórmula tradicional. Lapointe hacía de enlace.

—Le llamo desde un pequeño bar de la place Constantin-Pecqueur. Acaba de entrar en una casa de la rue Caulaincourt y ha subido al quinto. Llamó a una puerta, pero no contestaron.

—¿La portera qué dice?

—Es un pintor quien vive ahí, una especie de bohemio. Ella no sabe si se pincha, pero asegura que a veces sí tiene un aspecto raro. Ya había visto a Philippe antes subir a su casa. Alguna vez se quedó a dormir.

—¿Homosexual?

—Probablemente. Según ella, esas cosas no existen, pero nunca ha visto a su inquilino con mujeres.

—¿Y ahora Philippe qué hace?

—Ha girado a la derecha y se dirige hacia el Sacré-Cœur.

—¿Parece que le siga alguien?

—Nadie aparte de nosotros. Todo va bien. Está empezando a llover y hace un frío de narices. Si lo hubiera sabido, me habría puesto un jersey.

La señora Rose había puesto sobre la mesa un mantel a cuadros rojos y una sopera humeaba en el centro; había cuatro cubiertos; la chica, que se había puesto un traje de chaqueta azul marino y quedaba muy señorita, la ayudaba a servir, y costaba imaginarla pocos minutos antes desnuda en medio de la pista.

—Lo que me sorprendería—dijo Maigret—es que no hubiera venido nunca por aquí.

—¿Para verla?

—Al fin y al cabo, era su discípula. Me pregunto si sería celoso.

Era una pregunta a la que Fred habría podido contestar sin duda más pertinentemente que él, porque Fred también había tenido mujeres que se acostaban con otros, y a las que obligaba incluso a acostarse con otros, y conocía la clase de sentimiento que se experimenta a ese respecto.

—Desde luego no debía de estar celoso de los que ella conocía aquí—dijo.

—¿Usted cree?

—Bueno, debía de estar muy seguro de sí. Estaba convencido de que le pertenecía y de que no se le iba a escapar nunca.

¿Sería la condesa quien empujara a su marido desde la terraza de El Oasis? Era probable. Si el crimen lo hubiera cometido Oscar, él no la hubiera tenido tan atrapada. Aunque hubiera obrado de acuerdo con ella.

En toda aquella historia, había cierta ironía. El pobre conde estaba loco por su mujer, se plegaba a todos sus caprichos, y le suplicaba humildemente que le permitiera ocupar un mínimo lugar tras sus pasos.

Si no la hubiera amado tanto, tal vez ella le habría soportado. Él le hizo odiosa su pasión por su misma intensidad.

¿Tenía Oscar previsto que un día eso llegaría? ¿Espiaba a la esposa? Era verosímil.

Resultaba fácil imaginar la escena. La pareja se había

quedado en la terraza, al regreso del casino, y a la condesa no le costaba ningún trabajo llevar al anciano hasta el borde de la roca, y luego empujarlo hacia el vacío.

Debió de quedar aterrorizada, tras su gesto, al ver que el chofer había asistido a la escena y la miraba con toda tranquilidad.

¿Qué se dijeron? ¿Qué pacto concertaron?

En cualquier caso, no fueron los gigolós quienes le arrebataron todo, y buena parte de la fortuna debió de ir a parar a Oscar.

Era lo bastante listo como para no quedarse a su lado. Desapareció de la circulación, y esperó varios años antes de comprarse un chalet en su tierra natal.

No se hizo notar, ni empezó a tirar el dinero por la ventana.

Maigret volvía siempre al mismo punto: era un solitario, y él había aprendido a desconfiar de los solitarios.

A Bonvoisin le tiraban las mujeres, eso era sabido, y el testimonio de la vieja cocinera era bien claro. Antes de conocer a Arlette, en La Bourboule, debió de tener otras.

¿Las iniciaría de la misma manera? ¿Las haría sentirse tan estrechamente vinculadas a él?

Ningún escándalo vino a revelar su existencia.

La condesa empezó a ir cuesta abajo y nadie hacía mención de él.

Ella le pasaba dinero. No debía de vivir lejos, sin duda en el barrio, y un hombre como Fred, que tenía a Arlette contratada hacía dos años, no descubrió nunca nada de él.

¿Quién sabe? ¿Le tocaría ahora a él enamorarse locamente, como el conde? ¿Quién decía que Arlette no tratara de deshacerse de él?

En cualquier caso, lo había intentado una vez, después de una apasionada conversación con Lapointe.

—Lo que no entiendo —dijo Fred, como si Maigret hubiera pensado en voz alta mientras se iba tomando la sopa—es por qué ha matado a esa vieja loca. Aseguran que para apoderarse de las joyas que escondía en el colchón. Es posible. Es hasta seguro. Pero la tenía dominada y hubiera podido quedárselas de otra manera.

—Quién te dice que estuviera dispuesta a soltarlas así como así—dijo la Rose—. Era lo único que le quedaba y querría hacerlas durar lo más posible. No olviden también que se pinchaba, y esa gente acostumbra a irse de la lengua.

Para la sustituta de Arlette, todo aquello era chino y los miraba a uno tras otro con curiosidad. Fred la había ido a buscar a un teatrillo donde trabajaba como figurante. Debía de estar muy orgullosa de hacer por fin un número, pero al mismo tiempo tenía un poco de miedo de seguir la suerte de Arlette, se le notaba.

—¿Va a quedarse esta noche?—le preguntó a Maigret.

—Es posible. No lo sé.

—El comisario tanto puede irse dentro de dos minutos como mañana por la mañana—dijo Fred con una leve sonrisa.

—Para mí que Arlette estaba cansada de él y él lo notaba. Un hombre puede retener a una mujer como ella algún tiempo. Sobre todo si ella es muy joven. Pero Arlette había conocido a otros…

Miró a su marido con cierta insistencia.

—¿Verdad, Fred? Tuvo proposiciones. Y no sólo las mujeres tienen antenas. No me sorprendería que él hubiera decidido echar por la calle de en medio y mandarla al otro mundo. Sólo que, cometió el error de confiar demasiado en sí mismo y prevenirla. Así se han perdido muchos.

Todo aquello era, desde luego, muy confuso, pero sí que contribuía a vislumbrar un atisbo de verdad, en la que resaltaba sobre todo la inquietante silueta de Oscar.

Maigret atendió de nuevo el teléfono, pero esta vez no era para él. Preguntaban por Fred. Y éste tuvo la delicadeza de no cerrar tras él la puerta de los lavabos.

—Diga, sí... ¿Cómo? Pero ¿tú qué haces ahí? Sí... Está aquí, sí... No grites tanto, me va a estallar el tímpano... Bueno... Sí, sé quién es... ¿Por qué...? Qué tontería, hijo... Vale más que hables con él... Eso... No sé lo que decidirá... Quédate ahí... Seguramente irá él a buscarte...

Cuando volvió a la mesa, estaba preocupado.

—Era el Saltamontes—dijo como para sí. Se sentó, y de momento no siguió comiendo—. No sé qué demonios se le ha pasado por la cabeza. La verdad es que en los cinco años que lleva trabajando para mí, nunca he sabido qué pensaba. Ni siquiera me dijo nunca dónde vivía. Si estuviera casado y tuviera hijos no me sorprendería.

—¿Dónde está?—preguntó Maigret.

—Arriba de todo de la Butte, en lo más alto de Montmartre, en Chez Francis, un bistró que hace esquina donde está siempre una especie de barbudo que dice la buenaventura. ¿Se sitúa?—Fred reflexionaba, tratando de comprender—. Y lo divertido es que Lognon, el inspector, se pasea arriba y abajo por delante.

—¿Por qué está allá arriba el Saltamontes?

—No me lo ha contado todo. Me ha parecido entender que es por ese tal Philippe. El Saltamontes conoce a todos los putitos del barrio, hasta llegué a preguntarme si él no lo sería. A lo mejor también trata con droga, a ratos perdidos, eso que quede entre nosotros. Sé que usted no va a aprovechar el dato, y nunca lo ha hecho en mi establecimiento.

—¿Philippe suele ir mucho al Chez Francis?

—Es lo que deduzco. A lo mejor el Saltamontes sabe algo más.

—Eso no explica por qué ha ido él.

—¡Bueno! Voy a tener que decírselo, si es que no lo adivina. Pero sepa que ha sido idea de él. Cree que si le damos a usted un buen soplo, siempre nos será de utilidad, porque se acordará y llegado el caso hará la vista gorda. En este oficio, hay que estar a bien con ustedes. Y, además, creo que no es el único a quien le han dado el soplo, porque Lognon ronda por la zona.

Como Maigret no se movía, Fred se mostró sorprendido:

—¿No va?—Y luego—: Entiendo. Sus inspectores tienen que telefonearle aquí y no puede ausentarse.

Maigret, de todos modos, se dirigió hacia el aparato.

—¿Torrence? ¿Tienes hombres disponibles? ¿Tres? ¡Perfecto! Mándalos volando a la place du Tertre. Que vigilen el bistró que hay en la esquina, Chez Francis. Avisa al XVIII que destaque gente por la zona. No lo sé exactamente. Me quedo aquí.

Lamentaba ya un poco haber establecido su cuartel general en el Picratt's y dudaba de si hacerse llevar a la Butte.

Sonaba el teléfono. Era Lapointe, una vez más.

—No sé qué está haciendo, jefe. Lleva una media hora circulando en zigzag por las calles de Montmartre. ¿Sospechará que le seguimos e intenta despistarnos? Entró en un café, en la rue Lepic, y luego volvió a bajar hasta la place Blanche para entrar otra vez en las dos cervecerías, una tras otra. Después ha vuelto sobre sus pasos y ha subido otra vez la rue Lepic. En la rue Tholozé, se ha metido en una casa que tiene un taller al fondo del patio. Vive ahí una mujer mayor, antigua cantante de café-concert.

—¿Se droga?

—Sí. Jacquin ha ido a interrogarla en cuanto vio a Philippe salir. Es del tipo de la condesa, sólo que más cutre. Estaba borracha. Se echó a reír y aseguró que no había podido darle lo que él quería. «¡Si no tengo ni para mí!», dijo.

—¿Y ahora dónde está?

—Comiéndose unos huevos duros en un bar, en la rue Tholozé. Está lloviendo a cántaros. Todo va bien.

—Probablemente subirá a la place du Tertre.

—Nosotros llegamos casi hasta allí hace un momento. Pero de repente dio media vuelta y regresó por donde venía. Me encantaría que se decidiera. Tengo los pies helados.

La Rose y la nueva iban quitando la mesa. Fred había ido a buscar la botella de brandy, y mientras traían el café, empezó a servir dos copas de degustación.

—Tendré que subir a vestirme enseguida—anunció—. No le estoy echando. Está usted en su casa. A su salud.

—¿A usted no le parece que el Saltamontes conoce a Oscar?

—¡Mire por dónde! Precisamente lo estaba pensando.

—Se pasa todas las tardes en las carreras, ¿no?

—Y hay muchas probabilidades de que un hombre que no tiene nada que hacer, como Oscar, pase buena parte del tiempo en las carreras, ¿es eso lo que quiere decir?

Vació la copa, se secó los labios, miró a la chiquilla, que no sabía qué hacer, y dirigió un guiño a Maigret.

—Voy a vestirme—dijo—. Tú sube un momento, pequeña, que yo te diga algunas cosas para tu número. —Y después de otro guiño, añadió a media voz—: De alguna manera hay que pasar el tiempo, ¿no?

Maigret se quedó solo al fondo del salón.

IX

—Ha subido a la place du Tertre, jefe, y ha estado a punto de tropezar con el inspector Lognon, que tuvo el tiempo justo de echarse atrás y volver a la oscuridad.

—¿Estás seguro de que no le ha visto?

—Sí. Ha ido a mirar por la ventana de Chez Francis. Con este tiempo, no hay casi nadie. Algunos clientes habituales tomando su copa con aire triste. No ha entrado. Luego ha cogido la rue Mont-Cenis y ha bajado la escalinata. En la place Constantin-Pecqueur, se ha parado delante de otro café. Hay una enorme estufa en mitad de la sala, serrín por el suelo, y el dueño está jugando a las cartas con gente de la vecindad.

La chiquita nueva del Picratt's había bajado ya, se sentía algo violenta, y como no sabía dónde ponerse, vino a sentarse con Maigret. A lo mejor para no dejarle solo. Ya se había puesto el vestido de seda negro que perteneció a Arlette.

—¿Cómo te llamas?

—Geneviève. Aquí van a llamarme Dolly. Mañana me harán fotografías con este vestido.

—¿Edad?

—Veintitrés años. ¿Vio usted a Arlette hacer su número? ¿Es verdad que era tan extraordinaria? Yo soy algo torpe, ¿no?

En el siguiente telefonazo la voz de Lapointe sonaba triste.

—No para de dar vueltas en redondo como un caballo de circo. Y nosotros detrás, y sigue lloviendo a cántaros. Hemos vuelto a pasar por la place Clichy, luego por la place

Blanche, donde recorrió otra vez las dos cervecerías. A falta de droga, se va tomando una copita aquí y allá. No encuentra lo que busca, anda más despacio, rasando las paredes.

—¿No se da cuenta de nada?

—No. Janvier ha tenido una conversación con el inspector Lognon. Resulta que fue volviendo a todas las direcciones donde Philippe estuvo anoche como Lognon oyó hablar del Chez Francis. Le dijeron simplemente que Philippe iba de vez en cuando y que seguramente alguien le suministraba droga.

—¿El Saltamontes sigue ahí?

—No. Se fue hace unos minutos. Por el momento Philippe está subiendo nuevamente la escalinata de la rue Mont-Cenis, sin duda para echar un vistazo en el café de la place Constantin-Pecqueur.

Tania se acercó con el Saltamontes. Aún no era hora de encender el rótulo del Picratt's, pero debían de tener costumbre, unos y otros, de venir temprano. Todo el mundo se sentía un poco en su casa. La Rose echó una ojeada a la sala antes de subir a vestirse. Llevaba todavía un trapo de cocina en la mano.

—¡Ah, estás aquí!—le dijo a la nueva. Luego, examinándola de pies a cabeza—: Las demás noches, no te pongas el vestido tan pronto. Se estropea sin necesidad. —Y finalmente a Maigret—: Sírvase, señor comisario. La botella está en la mesa.

Tania parecía de mal humor. Estudió a la sustituta de Arlette y se encogió levemente de hombros.

—Hazme un poco de sitio. —Luego miró largamente a Maigret—: ¿Todavía no lo han encontrado?

—Creo que lo encontraremos esta noche.

—¿No cree que se le habrá ocurrido largarse?

También ella sabía algo. Todo el mundo sabía una pizca,

157

en resumidas cuentas. Ya la víspera le había dado esa impresión. Ahora Tania se preguntaba si no haría mejor hablando.

—¿Le habías visto ya alguna vez, con Arlette?

—No sé ni siquiera quién es, ni cómo es.

—Pero ¿sabes que existe?

—Me lo imagino.

—¿Qué más sabes?

—A lo mejor por dónde vive. —Habría creído rebajarse diciéndolo amablemente, y hablaba haciendo una mueca, como contra su voluntad—. Mi modista vive en la rue Caulaincourt, justo enfrente de la place Constantin-Pecqueur. Yo suelo ir a eso de las cinco de la tarde, porque duermo casi todo el día. Por dos veces, vi a Arlette bajar del autobús en la esquina de la plaza y cruzarla.

—¿En qué dirección?

—En dirección a la escalinata.

—¿No se te ocurrió seguirla?

—¿Por qué iba seguirla?

Mentía. Ella era curiosa. Y sin duda, al llegar al pie de la escalinata, ¿no habría visto a alguien?

—¿Eso es todo lo que sabes?

—Eso es todo. Debe de vivir por allí.

Maigret se había servido una copa de brandy y se levantó perezosamente cuando el teléfono volvió a sonar.

—Seguimos con la misma cantilena, jefe.

—¿El café de la place Constantin-Pecqueur?

—Sí. Ya sólo para ahí, en las dos cervecerías de la place Blanche, y luego delante de Chez Francis.

—¿Sigue ahí Lognon?

—Sí. Acabo de verle al pasar.

—Pídele de mi parte que vaya por favor a la place Constantin-Pecqueur y hable con el dueño. No delante de los clientes, si es posible. Que le pregunte si conoce a Oscar

Bonvoisin. Y si no, que se lo describa, porque a lo mejor le conocen con otro nombre.

—¿Ahora mismo?

—Sí. Le da tiempo mientras Philippe hace toda su ronda. Que me llame después enseguida.

Cuando volvió a la sala, allí estaba el Saltamontes, sirviéndose una copa en el bar.

—¿Todavía no lo han cogido?

—¿Quién te dio el soplo de Chez Francis?

—Las loquitas. Esa gente se conocen todos. Me hablaron primero de un bar de la rue Caulaincourt donde Philippe va de vez en cuando, y luego de Chez Francis, por donde pasa a veces a última hora de la noche.

—¿Conocen a Oscar?

—Sí.

—¿Bonvoisin?

—No saben el apellido. Dicen que es alguien del barrio que va de vez en cuando a tomar una copa de vino blanco antes de irse a dormir.

—¿Y se ve ahí con Philippe?

—Allí todo el mundo se habla. Y él hace como todos. No dirá usted que no le ayudo.

—¿Hoy no le han visto?

—Ni ayer.

—¿Te han dicho dónde vive?

—Por ahí por el barrio.

El tiempo pasaba ya muy lentamente y daba en cierto modo la impresión de que no acabarían nunca. Llegó Jean-Jean, el acordeonista, y fue al lavabo a limpiarse los zapatos llenos de barro y pasarse un peine.

—¿El asesino de Arlette sigue suelto?

Luego otra vez Lapointe al teléfono.

—Transmití la orden al inspector Lognon. Está en la place

Constantin-Pecqueur. Philippe se ha metido ahora mismo en Chez Francis, y está tomándose una copa, pero no hay nadie que responda a la descripción de Oscar. Lognon le llamará. Le dije dónde está. ¿Hice bien?

La voz de Lapointe no era ya la misma que al caer la noche. Para telefonear, debía de estar entrando en algún bar. Era su cuarta llamada. Y cada vez, seguramente, para entrar en calor, se tomaría una copita.

Fred bajaba ya, resplandeciente con su smoking, con un diamante falso en la camisa almidonada, recién afeitado y con la cara de un bonito color rosa.

—Tú, vete a vestir—le dijo a Tania.

Luego fue a encender las luces, y se quedó un poco tras la barra arreglando sus botellas.

El segundo músico, el señor Dupeu, acababa de llegar a su vez cuando Maigret por fin tuvo a Lognon al teléfono.

—¿Desde dónde me llamas?

—Desde Chez Manière, en la rue Caulaincourt. He ido a la rue Constantin-Pecqueur. Tengo la dirección.

Estaba superexcitado.

—¿No has tenido problemas para obtenerla?

—El dueño no se ha olido nada. No he dicho que era de la policía. He contado que era de provincias y estaba buscando a un amigo.

—¿Le conocen por su nombre?

—Le llaman señor Oscar.

—¿Dónde vive?

—En lo alto de la escalinata, a la derecha, una casita al fondo de un jardincillo. Tiene una tapia de piedra alrededor. La casa no se ve desde la calle.

—¿Y hoy no ha ido por la rue Constantin-Pecqueur?

—No. Le han estado esperando para empezar la partida, porque suele ser puntual. Por eso el dueño ha jugado por él.

—¿Qué les ha dicho que estaba haciendo?

—Nada. No habla mucho. Le tienen por un rentista con posibles. Es muy bueno jugando a la *belote*. Pasa muchas veces por la mañana a eso de las once, al ir a hacer la compra, a tomarse un vino blanco.

—¿Va él a hacer la compra? ¿No tiene servicio?

—No. Ni nadie para la limpieza. Le tienen por un poco maniático.

—Espérame por las proximidades de la escalinata.

Maigret vació la copa y fue a buscar al guardarropa su pesado abrigo todavía húmedo, mientras los dos músicos tocaban algunas notas como para ir templando.

—¿Ya está?—preguntó Fred, aún en el bar.

—Está a punto, quizás.

—¿Volverá a pasar por aquí, a descorchar una botella?

Fue el Saltamontes quien le silbó un taxi. Y en el momento de cerrar la portezuela, murmuró a media voz:

—Si es el tipo de quien vagamente he oído hablar, hará usted bien de ir con cuidado. No se andará con chiquitas.

El agua resbalaba por los cristales y no se veían las luces de la ciudad más que a través de los trazos tupidos de la lluvia. Philippe debía de andar por alguna parte chapoteando, con los inspectores dándole escolta en la sombra.

Maigret cruzó la place Constantin-Pecqueur a pie, y encontró a Lognon pegado a un muro.

—Ya he visto la casa.

—¿Hay luz?

—He mirado por encima de la tapia. No se ve nada. La loquita no debe de saber la dirección. ¿Qué hacemos?

—¿Hay alguna salida por detrás?

—No. La única puerta es ésta.

—Vamos a entrar. ¿Vas armado?

Lognon se limitó a hacer un ademán hacia el bolsillo.

Había una tapia decrépita, como las tapias del campo, de la que sobresalían algunas ramas de árbol. Fue Lognon quien se puso a forzar la cerradura, y le llevó varios minutos, mientras el comisario vigilaba que no viniera nadie.

Cuando se abrió la puerta dejó ver un jardincillo que parecía un jardín parroquial, y al fondo, una casa de una sola planta, como tantas que aún se ven en las calles de Montmartre. No había ninguna luz encendida.

—Ve a abrirme la puerta y vuelve.

Maigret, en efecto, pese a tantas lecciones de especialistas, nunca fue muy ducho en cerraduras.

—Espérame fuera, y cuando los otros pasen, avisa a Lapointe o a Janvier que estoy aquí. Ellos que continúen siguiendo a Philippe.

No se oía ningún ruido, ningún signo de vida en el interior. Pero el comisario siguió revólver en mano. En el corredor hacía calor y aspiró un olor como de campo. Bonvoisin debía de usar leña para calentarse. La casa estaba húmeda. Dudó si encender la luz, y luego, encogiéndose de hombros, giró el conmutador que acababa de encontrar a su derecha.

Contra lo que esperaba, la casa estaba muy limpia, sin ese carácter siempre algo tristón y como sospechoso de las viviendas de solteros. Un farol de cristales de colores iluminaba el corredor. Abrió la puerta de la derecha y se encontró en un salón como los de los escaparates del boulevard Barbès, de mal gusto, pero imponente, de madera maciza. La pieza siguiente era un comedor que procedía de las mismas tiendas, de falso estilo provincial, con unas frutas de celuloide en una bandeja de plata.

Nada de lo cual tenía una sola mota de polvo, y, cuando pasó a la cocina, advirtió un esmero igual de meticuloso. Quedaba un rescoldo en el fogón y el agua del hervidor estaba tibia. Abrió las alacenas y encontró pan, carne, mantequilla, huevos, y en una despensa, unas cuantas zanahorias, nabos y una coliflor. La casa no debía de tener bodega, porque en aquella misma despensa había un tonel de vino, con un vaso boca abajo en la canilla, como si vinieran a sacar a menudo.

Había otra habitación más, en la planta baja, al otro lado del corredor, enfrente del salón. Era un dormitorio bastante amplio, con la cama cubierta de un edredón de raso. Se iluminaba con unas lámparas de pantalla de seda que daban una luz muy femenina, y Maigret advirtió la profusión de espejos, que recordaba en cierto modo las casas de citas. Y en el cuarto de baño adyacente había otros tantos.

Aparte de los víveres en la cocina, el vino en la despensa y el rescoldo en el fogón, no se veían señales de vida. No había ningún chisme por medio, como pasa hasta en las casas más cuidadas. No había ceniza en los ceniceros. Ni ropa de cama sin lavar o ropa sin planchar en los armarios.

Comprendió la razón al llegar al primer piso y abrir sus dos puertas, no sin cierta aprensión, porque el silencio, que el ruido de la lluvia en el tejado ritmaba, impresionaba bastante.

No había nadie.

La habitación, a la izquierda, era la verdadera habitación de Oscar Bonvoisin, donde él pasaba su solitaria vida. La cama, aquí, era de hierro, con gruesas mantas rojas, y estaba sin hacer, con las sábanas arrugadas; en la mesilla de noche había fruta, una manzana estaba mordida y la pulpa se estaba poniendo ya oscura.

Zapatos sucios por el suelo, y dos o tres paquetes de cigarrillos, rodaban desperdigados aquí y allá. Había colillas por todas partes.

Si bien abajo había un cuarto de baño de veras, aquí sólo

se veía, en un rincón del dormitorio, un lavabo que no tenía más que un grifo, y toallas usadas. Un pantalón de hombre colgaba de un gancho.

Maigret buscó papeles en vano. En los cajones había un poco de todo, hasta cartuchos de pistola automática, pero ni una sola carta, ni un solo papel personal.

Fue abajo, en la cómoda del dormitorio, donde encontró un cajón lleno de fotografías. Los carretes también estaban, así como la cámara que se había utilizado para tomarlas y una bombilla de magnesio.

Las fotos de Arlette no eran las únicas. Veinte mujeres por lo menos, todas jóvenes y de buen ver, habían servido de modelo, y a las cuales Bonvoisin hizo adoptar las mismas poses eróticas. Algunas fotos eran ampliaciones. Maigret tuvo que volver a subir para encontrar el cuarto oscuro en el primer piso, con una bombilla roja encima de las cubetas, y montones de frascos y polvos.

Estaba otra vez bajando cuando oyó pasos fuera, y se pegó a la pared, apuntando a la puerta con el revólver.

—Soy yo, jefe. —Era Janvier, chorreando agua y con el sombrero deformado por la lluvia—. ¿Ha encontrado algo?

—¿Qué hace Philippe?

—Sigue dando vueltas a la noria. No entiendo cómo se tiene aún de pie. Se las ha tenido con una florista, delante del Moulin Rouge, a la que pidió droga. Me lo contó ella después. Luego se ha metido en una cabina telefónica, a llamar al doctor Bloch para decirle que no podía más, y le ha amenazado con no sé qué. Como siga así, le va a dar un ataque en plena calle.

Janvier miró la casa vacía, con todas las luces encendidas.

—¿No cree que el pájaro habrá volado?—Le olía a alcohol el aliento. Y esbozaba una sonrisita crispada que Maigret conocía muy bien—. ¿No va a ordenar que den aviso a las estaciones?

—Por el rescoldo del fogón, ya hace al menos tres o cuatro horas que salió de la casa. O sea que, si tenía intención de huir, hace un buen rato que habrá cogido un tren. Tenía de sobras donde elegir.

—Aún podemos dar la alerta en las fronteras.

Resultaba curioso. A Maigret no le apetecía lo más mínimo poner en marcha aquella pesada maquinaria policial. No era más que una intuición, en efecto, pero le parecía que aquel caso no podía rebasar los límites de Montmartre, donde se habían desarrollado hasta el momento todos los acontecimientos.

—¿Cree usted que estará en alguna parte acechando a Philippe?

El comisario se encogió de hombros. No lo sabía. Salió de la casa, y encontró a Lognon pegado a la tapia.

—Será mejor que apagues las luces y sigas vigilando.

—¿Cree que volverá?

No creía nada.

—Dime, Lognon, ¿en qué direcciones se detuvo Philippe anoche?

El inspector las tenía anotadas en su cuadernito. Desde que le soltaron, el chico había pasado por todas ellas, sin éxito.

—¿Seguro que no te comes alguna?

Lognon se sentía confuso.

—Le he dicho todo lo que sabía. No me queda más que una dirección, la suya, en el boulevard Rochechouart.

Maigret no rechistó, pero encendió la pipa con un pequeño gesto de satisfacción.

—Bien. Quédate aquí por si acaso. Sígueme, Janvier.

—¿Se le ha ocurrido algo?

—Creo que sé dónde vamos a encontrarlo.

Recorrieron las aceras, a pie, con las manos en los bolsillos y el cuello del abrigo subido. No valía la pena coger un taxi.

Al llegar a la place Blanche, divisaron desde lejos a Philippe, que salía de una de las dos cervecerías, y a cierta distancia, al joven Lapointe con su gorra, que les hizo una leve seña.

Los otros no andaban lejos, sin dejar un momento de flanquear al muchacho.

—Vente con nosotros.

No les quedaban por recorrer más de quinientos metros por el bulevar casi desierto. Las boîtes, cuyos rótulos brillaban en medio de la lluvia, no debían de tener mucho éxito con aquel tiempo, y los porteros engalanados se mantenían a resguardo, dispuestos a desplegar su gran paraguas rojo.

—¿Adónde vamos?

—A casa de Philippe.

¿Acaso no mataron a la condesa en su casa? ¿Y el asesino no esperó a Arlette en su propia vivienda de la rue Notre-Dame-de-Lorette?

Era un inmueble viejo. Encima de los cierres echados, se veía el rótulo de una casa de marcos, y, a la derecha de la puerta, el de una librería. No hubo más remedio que llamar. Los tres hombres penetraron en un corredor mal iluminado, y Maigret hizo señas a sus compañeros de que no hicieran demasiado ruido. Al pasar por delante de la portería, masculló un nombre cualquiera y los tres empezaron a subir la escalera.

Se veía luz por debajo de una puerta, en el primer piso, y una alfombrilla húmeda. Luego, hasta el sexto, lo único que vieron fue la oscuridad, porque el conmutador temporizado se apagó.

—Déjeme pasar delante, jefe—susurró Lapointe intentando escurrirse entre la pared y el comisario.

Éste le echó atrás con mano firme.

Maigret sabía por Lognon que la buhardilla que ocupaba Philippe era la tercera a la izquierda en la última planta.
Gracias a la linterna pudo ver que el estrecho corredor, de
paredes amarillentas, estaba vacío, y accionó el conmutador.

Colocó entonces a sus dos hombres uno a cada lado de
la tercera puerta, y apoyó la mano en el pomo, asiendo el
revólver con la otra. El pomo giró. La puerta no estaba cerrada con llave.

La empujó con el pie y permaneció inmóvil, escuchando. Igual que en la casa que acababa de dejar, no oía más
que la lluvia en el tejado y el agua que bajaba por los cana-
lones. Le parecía oír también los latidos del corazón de sus
compañeros, y quizá los suyos.

Alargó la mano y encontró el interruptor contra el mar-
co de la puerta.

No había nadie en la habitación. No había armario en
que ocultarse. La habitación de Bonvoisin, la de arriba, era
un palacio en comparación con ésta. La cama no tenía sábanas. Un orinal estaba sin vaciar. Había ropa sucia por el
suelo.

En vano Lapointe se agachó para mirar debajo de la
cama. No había alma viviente. El cuarto apestaba.

De pronto, Maigret tuvo la impresión de que algo se había movido detrás de él. Ante el estupor de los dos inspectores, retrocedió de un salto, y al volverse, dio un gran gol-
pe con el hombro en la puerta de enfrente.

Ésta cedió. No estaba cerrada. Había alguien tras ella,
alguien que los espiaba, y fue un imperceptible movimiento de la puerta lo que había percibido Maigret.

Con el impulso, salió despedido hacia delante, hacia el

interior, estuvo a punto de caer, y si no llegó a caer fue porque tropezó con un hombre casi tan fornido como él.

La habitación estaba sumida en la oscuridad y fue Janvier quien tuvo la inspiración de activar el conmutador.

—Cuidado, jefe...

Maigret ya había recibido un cabezazo en el pecho. Se tambaleó y, sin caer, se agarró a algo que rodó por el suelo, una mesilla de noche, y la loza de encima se rompió.

Agarrando el revólver por el cañón, intentó golpear con la culata. No conocía al famoso Oscar, pero le había reconocido, tal como se lo habían descrito, tal como él se lo había imaginado. El hombre había vuelto a agacharse y se abalanzaba hacia los dos inspectores, que le cortaban el paso.

Lapointe se agarró maquinalmente a la chaqueta del agresor mientras Janvier buscaba otro punto al que cogerse.

Apenas se veían unos a otros. Había un cuerpo tendido en la cama, pero no tenían tiempo de prestarle atención.

Janvier cayó al suelo. Lapointe se quedó con la chaqueta en la mano, y un bulto salió lanzado hacia el corredor cuando sonó un tiro. No se supo en el acto quién había disparado. Era Lapointe, que no se atrevía a mirar hacia donde estaba el hombre y no apartaba los ojos de su revólver con una especie de estupor.

Bonvoisin dio unos pasos más, inclinado hacia delante, y acabó derrumbándose en el suelo del corredor.

—Cuidado, Janvier...

Empuñaba una automática. Se veía oscilar el cañón. Luego, muy despacio, los dedos se fueron separando y el arma rodó al suelo.

—¿Usted cree que le he matado, jefe?

Lapointe tenía los ojos desorbitados y le temblaban los labios. No alcanzaba a creer que lo hubiera hecho él, y volvía la vista al revólver con respetuoso asombro.

—¡Le he matado!—repitió sin atreverse a mirar el cuerpo. Janvier estaba inclinado sobre él.

—Muerto. Le diste en mitad del pecho.

Maigret creyó por un momento que Lapointe iba a desmayarse, y le puso la mano en el hombro.

—¿Es tu primero?—preguntó en voz baja. Y luego, para infundirle ánimo—: No olvides que él fue quien mató a Arlette.

—Así es…

Resultaba extraño ver la expresión infantil de Lapointe, que no sabía si reír o llorar.

Se oían unos pasos prudentes en la escalera. Una voz preguntaba:

—¿Hay alguien herido?

—No dejes subir a nadie—le dijo Maigret a Janvier.

Tenía que atender al bulto humano que había entrevisto en la cama. Era una chiquilla de dieciséis o diecisiete años, la criadita de la librería. No estaba muerta, pero le habían atado un trapo alrededor de la cara para impedirle gritar. Tenía las manos atadas a la espalda y la camisa remangada hasta las axilas.

—Baja a telefonear a la Policía Judicial—le dijo Maigret a Lapointe—. Y si hay algún bar aún abierto, aprovecha para echar un trago.

—¿Usted cree?

—Es una orden.

La chiquilla tardó un buen rato en estar en condiciones de hablar. Había regresado a su habitación hacia las diez de la noche, después de ir al cine. Inmediatamente, un desconocido que la esperaba en la oscuridad, la agarró sin darle tiempo a girar el conmutador, y le apretó el trapo contra la boca. Después le ató ambas manos y la arrojó sobre la cama.

No le había prestado más atención por el momento. Espiaba los ruidos de la casa, y entreabría de vez en cuando la puerta del corredor.

Esperaba a Philippe, pero no se fiaba de él, y por eso evitó esperarle en su cuarto. Sí que habría estado seguramente en él antes de meterse en el de la criada, y por eso ellos habían encontrado la puerta abierta.

—¿Qué pasó luego?

—Me desnudó, y como yo tenía atadas las manos, tuvo que desgarrarme la ropa.

—¿Te violó?

Ella se echó a llorar haciendo señal de que sí. Y luego dijo, recogiendo una tela de color claro del suelo:

—Se me ha echado a perder el vestido…

No se daba cuenta de que se había librado de una buena. Era más que probable, en efecto, que Bonvoisin no la hubiera dejado viva al partir. Le había visto, como le vio Philippe. Si no la estranguló antes, como a las otras dos, seguramente fue contando con divertirse un poco mientras aguardaba a que el chico volviera.

A las tres de la madrugada, el cadáver de Oscar Bonvoisin estaba tendido en uno de los cajones metálicos del Instituto Médico Forense, no lejos del cadáver de Arlette y del de la condesa.

A Philippe, tras una bronca con un drogata en Chez Francis, donde por fin decidió entrar, se lo llevó a comisaría un guardia de uniforme por alterar el orden público. Torrence se fue a dormir. Los inspectores que habían estado dando vueltas a la noria, de la place Blanche a la place du Tertre y de ésta a la place Constantin-Pecqueur, habían regresado también a sus casas.

Al salir de la Policía Judicial, en compañía de Lapointe y de Janvier, Maigret dudó, y propuso:

—¿Y si fuéramos a descorchar una botella?

—¿Adónde?

—Al Picratt's.

—Yo no—contestó Janvier—. Mi mujer me espera, y el niño nos despierta muy temprano.

Lapointe no dijo nada. Pero se metió en el taxi detrás de Maigret.

Llegaron a la rue Pigalle a tiempo de ver a la nueva hacer su número. Al entrar, se les acercó Fred.

—¿Ya está?

Maigret hizo un gesto afirmativo, e instantes después colocaban ante ellos una champanera, en su mesa, la mesa 6, como por casualidad. El vestido negro se deslizaba lentamente hacia abajo sobre el cuerpo lechoso de la muchacha, que les miraba cohibida, dudaba si mostrar el vientre, y lo mismo que por la tarde, se ponía ambas manos sobre el sexo finalmente al descubierto.

¿Lo hizo Fred expresamente? Justo en ese momento habría tenido que apagar el foco y dejar la sala a oscuras, dando así tiempo a la bailarina a recoger el vestido y taparse con él por delante. Pero no, el foco seguía encendido y la pobre chica, sin saber qué actitud adoptar, se decidió por fin a echar a correr hacia la cocina enseñando un blanco y redondo trasero.

Los escasos clientes prorrumpieron en carcajadas. Maigret creyó que Lapointe también se reía, y luego, al mirarle, se dio cuenta de que el inspector estaba llorando a lágrima viva.

—Discúlpeme—tartamudeaba—. No debería… Sé que es estúpido. Pero yo… ¡yo la quería, ya ve usted!

Más avergonzado todavía se sintió al día siguiente al despertarse, porque no recordaba cómo había regresado a casa.

Su hermana, que parecía muy contenta—Maigret la había aleccionado bien—, exclamaba mientras abría las cortinas:

—¿Conque te parece bonito que te tenga que meter en la cama el comisario?

Lapointe, aquella noche, había enterrado a su primer amor. Y matado a su primer hombre. En cuanto a Lognon, no se acordaron de relevarlo donde quedó apostado, y seguía muriéndose de asco en la escalinata de la place Constantin-Pecqueur.

Shadow Rock Farm, Lakeville (Connecticut),
diciembre de 1950

ESTA EDICIÓN, PRIMERA,
DE «MAIGRET EN EL PICRATT'S», DE GEORGES
SIMENON, SE TERMINÓ DE IMPRIMIR
EN CAPELLADES EN EL
MES DE NOVIEMBRE
DEL AÑO
2017